INFLUENCERS

GENERACIÓN DE TRANSFORMADORES

Cómo establecer el Reino de Dios en el corazón de niños y adolescentes para que impacten las siete esferas de influencia de una sociedad

4-14 años la edad más fructífera para formar a un discípulo

Editorial JUCUM forma parte de Juventud con una Misión una organización de carácter internacional.

Si desea un catálogo digital de nuestros libros solicítelos a:

Editorial JUCUM
P.O. Box 1138, Tyler, TX 75710-1138 U.S.A
Correo electrónico: info@editorialjucum.com
Teléfono: (903) 882-4725
www.editorialjucum.com

Primera edición 2021
ISBN 978-1-64836-071-8
Diseño de carátula: Pam Viana B.

INTRODUCCIÓN:

El enfoque principal de este currículo es inspirar, motivar y contribuir a que todos nosotros, el cuerpo de Cristo que formamos su Iglesia, tomemos conciencia de la importancia de levantar a la generación 4/14 (los niños y adolescentes entre los 4-14 años) para transformar el mundo.

Cuando trabajamos con niños y adolescentes, estamos discipulando una nación.

Deut. 6:7 «y las repetirás a tus hijos, y hablarás de ellas estando en tu casa, y andando por el camino, y al acostarte, y cuando te levantes».

«Instruye al niño en su carrera y aun cuando fuere viejo no se apartará».

AGRADECIMIENTOS:

Agradecemos a Juventud con una Misión, especialmente a Wedge y Shirley Alman, fundadores del ministerio de JUCUM en América Latina y a Yarely Niño, fundadora de JUCUM Puerto Rico. A Dale Kauffman y al ministerio de King´s Kids internacional por motivarnos, inspirarnos, capacitarnos y empoderarnos para trabajar con la generación emergente. Y a Lyssette Ruiz, directora de King's Kids P.R.

Y a todos los maestros, hombres y mujeres de Dios, por la inversión tan valiosa de su enseñanza y sus libros que han sido inspiración para conocer y vivir los principios del Reino de Dios aquí en la tierra. A Landa Cope, José y Diana González, Dra. Elizabeth Youmans, Darrow Miller, los Fabianos, Dean Harvey, Ron Boehme, Stephen McDowell, Dean Sherman, Dr. Alan Snyder, Dennis Carrol, Michael Wolfe, Dave Coke y Yarley Niño.

Un agradecimiento especial a quienes dedicaron muchas horas para escribir este currículo y a los que formaron parte del personal de JUCUM-PR, durante los años 1989-2012. Gracias por ofrendar su conocimiento, talentos, destrezas, creatividad para hacer posible la creación y redacción de cada clase, drama, canción, dinámica y proyecto educativo, presentados como parte de este currículo.

RECONOCIMIENTOS:

Gracias al Dr. Luis Bush y al Prof. José González por invitarnos a unirnos al movimiento internacional de la ventana 4/14 y por motivarnos a escribir un currículo lo que Dios nos había estado enseñando por 25 años en el discipulado de los niños, adolescentes y jóvenes.

DEDICACIÓN:

A todos los niños, adolescentes y jóvenes que formaron parte del ministerio de King's Kids Puerto Rico y al elenco nacional entre los años 1989 al 2012. Y a sus padres, por habernos confiado a sus hijos.

ÍNDICE

¿Por qué este currículo?

Para responder a la necesidad de contar con una herramienta que facilite el discipulado de nuestros niños y adolesvcentes desde *el teísmo bíblico,* y les ayude a entender cómo vivir los principios del Reino de Dios aquí en la tierra. Creemos que a través de sus dones y talentos, dados por Dios, ellos pueden contribuir a la transformación de la sociedad. Con este currículo queremos ayudarles a descubrir aquellas áreas de influencia a la cual Dios les está llamando a servir.

¿Cómo usar este currículo?

Hemos diseñado las lecciones, empleando el método reflexivo de enseñanza y aprendizaje.

El formato de las lecciones está basado según lo enseñado y sugerido por la Dra. Elizabeth Youmans, y el método de «Educación por principios» (*Principle Approach*), desarrollado por la Dra. Rosalie Slater:

- Objetivo de la lección: aprendizaje y entendimiento; palabra clave de vocabulario, el principio bíblico a enseñarse y la cita bíblica.
- Principio bíblico: establece la verdad como fundamento y la estructura para enseñar la lección.
- Escritura bíblica: que apoya el principio bíblico a enseñarse.
- Actividad: drama, música, etc.
- Hoja de registro: anotar, registrar lo aprendido en la clase para recordarlo y aplicarlo a sus vidas.
- Proyectos: demostrar en forma creativa lo aprendido en el salón de clase, para que pueda asimilar integralmente la enseñanza.

Cada clase cuenta con una palabra clave que debe ser explicada durante la enseñanza. Los niños y adolescentes aprenderán cómo Dios se revela en cada esfera de la sociedad. Las esferas cuentan con un color en particular. Por ejemplo, el color anaranjado pertenece a la familia; sugerimos que todo lo referente a la esfera de la familia lleve el color anaranjado. Así los niños y adolescentes podrán resaltar los versículos claves en sus Biblias, con el color correspondiente cuando hacen referencia a cada esfera.

La mayoría de los videos han sido obtenidos de «YouTube» y se pueden acceder a ellos por Internet.

Es importante que cada drama, video y ejemplos cotidianos sean modificados de acuerdo al contexto de la nación donde se vaya a enseñar.

Ventana 4/14: 1.2+ billones de niños y adolescentes entre 4-14 años:

La ventana 4/14 es un movimiento mundial que se organizó en el 2008, bajo la inspiración del Dr. Luis Bush (quien también introdujo el término de la ventana 10/40). Se refiere al grupo demográfico más grande de «personas no-evangelizadas» —a nivel mundial— entre las edades de los 4 a los 14 años, cuando están más receptivos al desarrollo y formación espiritual.

El movimiento de la ventana 4/14 existe porque:

1. Los niños son el «grupo de personas no evangelizado» más grande del mundo y además el más receptivo a los asuntos espirituales y de desarrollo.

2. La Iglesia no entiende la importancia que Dios da a los niños.

3. Los niños que viven especialmente en pobreza, no tienen voz propia.

4. Los niños y los jóvenes son el potencial sin explotar más significativo; sin embargo, especialmente entre la edad de 11 y 18 años son la fuerza misionera más importante.

5. Es frecuente que los niños y los jóvenes son marginados cuando responden a la Gran Comisión.

6. La Iglesia debe aprender de la historia: cuando perdemos a los niños, al final perdemos la Iglesia, por lo tanto, estamos invirtiendo en el futuro de ella.

VISIÓN:

- La primera montaña o etapa (2009-2014) fue crear conciencia sobre el mayor grupo de personas no alcanzadas: los niños. Entonces Dios puso en nuestros corazones comenzar a escalar la segunda montaña o etapa. Debíamos ir más allá de la creación de conciencia y comenzar la tarea de equipar a las iglesias locales para arraigar (alentar, equipar, apoyar) a los niños y jóvenes en la palabra de Dios y Su misión (*Missio-Dei)* y hacerlos libres, como socios en las misiones, para hacer discípulos en su generación de manera integral.

MISIÓN:

- El movimiento ventana 4/14 busca involucrarse y asociarse con los niños y jóvenes para hacer discípulos de sus compañeros, hermanos y comunidades.
- Busca fortalecer a las iglesias y las familias para alcanzar, rescatar, enraizar, liberar a niños y jóvenes para que desarrollen todo su potencial e impacten y transformen a su sociedad.

VALORES FUNDAMENTALES:

1. Mente del Reino de Dios (un voluntariado, caracterizado por el servicio, el rigor y recursos (Filipenses 2).
2. Modelar e inspirar la unidad (Juan 17).
3. Modelo a seguir para niños y jóvenes (1 Tesalonicenses 1).
4. Valentía para afrontar riesgos (basada en la confianza y las promesas divinas - Josué 14).
5. Pasión por niños y jóvenes (Mateo 18 y 19).

Lección 1

El Rey y su Reino I

(Clase chicos 12-14 años)

TIEMPO: 1 hora 30 min.

OBJETIVOS:

- ▸ Escuchar la historia del Reino de Dios.
- ▸ Conocer el carácter y la personalidad de Dios.
- ▸ Comprender que Dios se relaciona en amor.
- ▸ Entender que Dios quiere que imiten su carácter.

VOCABULARIO:

- ▸ Dios:

El Ser Supremo; Jehová; el eterno e infinito espíritu; el creador y el soberano del Universo. (Diccionario Webster, 1828). Ser supremo que en las religiones monoteístas es considerado hacedor del Universo. (Diccionario de La Real Academia Española, vigésima segunda edición).

- ▸ Rey:

Un soberano; un príncipe; un gobernante. (Diccionario Webster, 1828).
Monarca o príncipe soberano de un reino. (Diccionario de La Real Academia Española, vigésima segunda edición).

- ▸ Persona:

Ente con facultad de raciocinio, dotado de conciencia y que cuenta con su propia identidad. Ser capacitado para vivir en sociedad, poseedor de sensibilidad, inteligencia y voluntad.

IDEA PRINCIPAL:

▶ El buen Rey Dios tiene un carácter de amor.

ESCRITURA BÍBLICA:

▶ Éxodo 34:6 «Entonces pasó el SEÑOR por delante de él y proclamó: El SEÑOR, el SEÑOR, Dios compasivo y clemente, lento para la ira y abundante en misericordia y verdad…».

Contenido de la lección

ACTIVIDAD DE INICIO:

Opción A: Comenzar con la representación del drama de 20 minutos: «*La historia de nuestro Reino*». (Ver Anexo 1.a).

Opción B: Comenzar viendo el DVD del drama «*La historia de nuestro Reino*».

DESARROLLO:

Usted necesitará:

- Rótulo de la palabra de vocabulario «REY» (lámina 1.1).
- Mural de las palabras de vocabulario.
- Una corona (puede ser hecha de cartulina o papel de construcción).
- Una capa (Puede ser hecha con una sábana o pedazo de tela).
- Un cetro (puede ser hecho con un palo de escoba y en el extremo superior poner una corona pequeña de papel de construcción).
- Silueta de una persona con una corona en la cabeza (puede ser hecha con papel traza).
- Figura del cerebro (lámina 1.2).
- Dos cartulinas.
- Figura del corazón (lámina 1.3).
- Figura de las manos (lámina 1.7).
- Rótulo del carácter de Dios (lámina 15.1).
- Rótulo de las cualidades de Dios en sus colores correspondientes:
  - ▶ Amor (lámina 1.8).
  - ▶ Sabio (lámina 1.9).
  - ▶ Justo (lámina 1.10).
  - ▶ Misericordioso (lámina 1.11).
  - ▶ Verdadero (lámina 1.12).
  - ▶ Fiel (lámina 1.13).
  - ▶ Santo (lámina 1.14).

       ▸ Figura de un diamante (lámina 1.15).
- Dibujo de una silla (lámina 1.16).
- Biblia.

«Según el drama que vimos, todos tenemos una historia que se remonta a un reino. En el principio un rey bueno llamado Dios, creó todo el universo e hizo del planeta Tierra nuestra casa. ¿Saben qué es un rey?». (Muestre la palabra de vocabulario «REY» [ver lámina 1.1] y pídale a un chico que la pegue en el mural).

«Cuando pensamos en un rey, pensamos en una persona con una corona, capa y cetro». (Pida un voluntario para vestirlo con todos los objetos mencionados anteriormente. Defina la palabra utilizando al voluntario como modelo).

«Pero un rey es mucho más que esto. Un rey es una persona que tiene la autoridad para gobernar un territorio y sus habitantes, el deber de defenderlos de todo mal o cualquier enemigo, y de velar por su bienestar». (Puede decirle al voluntario que tome asiento).

«Como vimos en la historia del reino, un rey bueno creó todas las cosas y este Rey es Dios. ¿Alguna vez has pensado en cómo es este Rey Dios?». (Tenga la silueta de una persona pegada en la pared y haga referencia a ella. A medida que discute las cualidades de la personalidad de Dios vaya pegando las láminas correspondientes [ver láminas 1.8 a 1.4]). «Dios, quien es el Rey en este reino en el que vivimos, tiene personalidad. Él es una persona. ¿Cómo sabemos qué Dios es una persona? Porque tiene pensamientos, emociones y voluntad. Él nos hizo a su imagen y semejanza. Las cualidades de persona que hay en Él las puso también en nosotros, los seres humanos, para que pudiéramos relacionarnos con Él y con otros. Las cualidades que definen una persona son las siguientes:».

1. Intelecto (pegue la lámina del cerebro [ver lámina 1.2] en la cabeza de la silueta. Pida 10 voluntarios y divídalos en 2 grupos para «El juego de la suma y la resta». Para esta actividad usted necesitará preparar de antemano en dos cartulinas cinco ecuaciones simples de suma y resta para cada grupo. Cada grupo se posicionará en una fila, resolviendo las ecuaciones matemáticas una persona a la vez. El grupo que termine primero será el ganador). En el juego que acabamos de hacer ustedes tuvieron que utilizar su mente para lograr completar las ecuaciones matemáticas. Si ustedes no tuvieran intelecto, o sea, mente ¿hubieran podido resolver los ejercicios? (Permitir que los chicos piensen y contesten). El intelecto es la habilidad de pensar, razonar, imaginar y recordar.

«Dios tiene intelecto, Él piensa, imagina, recuerda y razona. Para poder haber hecho la creación Él tuvo que pensar en lo que quería hacer y cómo lo iba a hacer. Pero tú, ¿puedes pensar? Claro que sí. Gracias a que Dios nos dio intelecto, es que podemos pensar, razonar, imaginar y recordar. ¿Cuántos recuerdan que desayunamos esta mañana? (Permitir que los chicos piensen y contesten). Puedes recordar porque Dios te hizo a su imagen y semejanza. Él tiene intelecto y te hizo a ti igual que a Él para que pudieran pensar juntos».

2. Emociones (pegue la lámina del corazón [ver lámina 1.3] en el pecho de la silueta). ¿Cuántos de ustedes han llorado alguna vez? ¿Cuántos se han reído alguna vez? ¿Cuántos de ustedes se han enojado alguna vez? Estas son emociones. Por ellas es que podemos alegrarnos, entristecernos o conmovernos.

«Como Dios es una persona Él tiene emociones. Él se alegra cuando sus hijos le obedecen, pero se entristece cuando le desobedecemos. Dice la Biblia en Génesis 6 que cuando Dios vio la maldad que el hombre estaba haciendo le dolió en su corazón. ¿Sabías que tus decisiones pueden alegrar o entristecer a Dios? Tú también tienes emociones porque Dios te hizo a su imagen y semejanza, te hizo parecido a Él».

3. **Voluntad** (pegue la lámina de las manos en el área de las manos de la silueta, (ver láminas 1.7). Escoja de antemano dos clases de frutas diferentes [pueden ser una manzana y una pera o las que tenga disponibles]. También, escoja dos papeles de construcción de diferentes colores. Pregunte a los chicos cuál de las frutas escogerían y cuál color prefieren). Ustedes acaban de tomar decisiones. Ustedes escogieron entre dos cosas la que más les gustaba. Ahora bien, tus papás te dicen que no puedes ver televisión, pero cuando ellos no están cerca tienes dos opciones: obedecer a tus padres o desobedecerles. ¿Qué harías? (Permitir que los chicos contesten). Tú puedes tomar estas decisiones porque tienes voluntad. La voluntad es la capacidad de escoger entre hacer el bien o hacer el mal.

«Dios tiene voluntad; Él también puede escoger hacer el bien o el mal. Pero sabes, Dios siempre escoge hacer el bien porque nos ama. Así como Dios decide escoger siempre el bien tú puedes hacer lo mismo porque Dios te creó con voluntad. Estas tres cualidades de nuestro Rey nos muestran que Dios es una persona y que nosotros nos parecemos a Él, porque también poseemos estas tres cualidades (intelecto, emociones y voluntad). Cuando vimos el drama ¿Cómo nos dijeron los ángeles que era nuestro Rey?». (Permitir que los chicos contesten). Dios ha decidido tener un carácter de amor, o sea, ha decidido que el amor sea la cualidad que lo distinga». (Cada cualidad del carácter de Dios [ver láminas 1.8 a 1.14] se irá pegando en la figura de un diamante [ver lámina 1.15] que debe estar situada al lado de la silueta de la persona).

- **Dios es amor:** esta es la cualidad fundamental del carácter de Dios. Él nos ama porque decide buscar lo mejor para los demás. ¿Puedes tú decidir lo mismo? ¿Cómo? Por ejemplo: Pensando primero en servir a los demás antes que a ti mismo, como cuando obedeces a mamá limpiando tu cuarto. Así, de la misma manera que Dios decide con su voluntad tener un carácter que se basa en el amor, tú puedes escoger lo mismo. Todas las demás cualidades que veremos de Dios surgen de su amor.
- **Dios es sabio:** Dios aplica todo lo que sabe con amor. Tú puedes ser sabio. Cuando vas a la escuela no se trata de aprender datos sino de utilizar lo que estás aprendiendo para servir y ayudar a otros. Por ejemplo, en la escuela tú aprendes a sumar y restar. Cuando veas un chico tratando de comprar algo, pero no sabe cuánto dinero tiene, tú puedes ayudarlo. Así estás siendo sabio, imitando a Dios.
- **Dios es justo:** Dios trata a cada persona como se merece sin juzgarlos mal. La Biblia dice que al que es bueno Dios le muestra su bondad, pero al malo y tramposo le da su merecido (Proverbios 12:2). Cuando Dios hace justicia nos está amando. Tú también puedes ser justo y mostrar amor. Por ejemplo, si ves que un compañero se está burlando de otro, tú vas y lo dices a tu maestra para que se haga justicia con el que ha hecho mal.

  «También si acusan falsamente a un compañero y tú sabes que esto no es verdad, tú lo dices al maestro».
- **Dios es misericordioso:** Dios extiende perdón a las personas que se arrepienten sin darles la consecuencia o el castigo que se merecen. Esto es ser misericordioso. Tú también puedes ser misericordioso. ¿Cómo? Siendo pronto para perdonar a los que te hacen mal, sin guardar enojo en tu corazón. ¿Cuántos de ustedes han tenido la mala experiencia de que un compa-

ñero te empujó o habló mal de ti? Esto te hace sentir enojado. Pero tú podrías ser misericordioso al perdonar a esas personas sin hacerles lo mismo.

- **Dios es verdadero:** (maestra mostrará el dibujo de una silla [ver lámina 1.16]). La maestra pregunta: ¿Qué es esto? (Dejar que los chicos contesten) ¿Quién quiere sentarse? (Permitir que un voluntario trate de sentarse). Luego dirá: No te puedes sentar porque esto no es una verdadera silla. Esto es el dibujo de una silla. La verdad es la descripción de la realidad. Dios es la verdad porque no miente. Tú puedes ser verdadero como Dios es verdadero, al no mentir ni ocultar nada, siendo transparente al siempre decir la verdad. Así estarás también reflejando el amor de Dios.
- **Dios es fiel:** Dios es siempre lo que dice ser. Si hace una promesa Él la cumple. Él dice en su palabra que, aunque tu papá y tu mamá te dejaren, Él siempre tomará cuidado de ti (Salmo 27:10). Puedes estar seguro de que Él siempre tomará cuidado de ti porque es fiel. ¿Puedes tú decidir lo mismo? (Permitir que los chicos contesten). ¿Cómo? Por ejemplo, cuando dices a un amigo que lo vas a ayudar en una tarea, no rompes tu palabra por irte a jugar sino que guardas tu promesa y eres fiel. De esta manera estarás amando como Dios ama.
- **Dios es santo:** Él ha decidido separarse de todo lo malo para hacer el bien y nada más que el bien. Él no hace nada malo. ¿Sabías que tú también puedes ser santo como Él es santo? Por ejemplo, si tú sabes que mentir o robar no es amoroso, tú no lo haces. Cada vez que eres sabio, misericordioso, justo, verdadero y fiel tú estás siendo santo porque estás actuando en amor.

CIERRE:

Aplicación/Resumen

«Así como Dios ha decidido ser amoroso, sabio, misericordioso, verdadero, fiel, justo y santo; nosotros también podemos decidir parecernos a Él. Dios quiere que tú decidas ser como Él es. Él es un rey bueno y santo, porque tiene un carácter de amor. ¿Puedes tú decidir desarrollar un carácter de amor como el de Dios?». (Dirija a los chicos en una oración pidiéndole a Dios que les ayude a ser como Él es, imitando su carácter en todo momento. Ore también para que los chicos puedan conocer más a Dios).

HOJA DE REGISTRO:

Usted necesitará:

- Hoja de trabajo el *Rey y su Reino I* (ver anexo 28.a).
- Lápices.

En la hoja de trabajo del el *Rey y su Reino I*, pida a los chicos que identifiquen las áreas de la personalidad y el carácter de Dios en las áreas indicadas.

El Rey y su Reino II

El Rey y su Reino II
(Clase chicos 12-14 años)

TIEMPO: 1 hora.

OBJETIVOS:

- ► Repasar la historia del Reino.
- ► Conocer los diez mandamientos.
- ► Entender que la obediencia a Dios es importante para traer su Reino.
- ► Darse cuenta de que como individuos tienen un lugar importante en la historia del Reino de Dios.

VOCABULARIO:

- ► Reino de Dios:

En las Escrituras es el gobierno o dominio universal de Dios. (Diccionario Webster, 1828).
Nuevo estado de cosas en que rige la salvación y la voluntad de Dios. Fue anunciado por los profetas de Israel, predicado e instaurado por Jesucristo. Su realización, incompleta y temporal en la iglesia militante, se consuma y perpetúa en la iglesia triunfante. (Diccionario de la Real Academia Española, vigésima segunda edición).

- ► Obedecer:

Cumplir con los mandamientos, órdenes o instrucciones de un superior, o con los requerimientos de la ley, la moral, políticos o municipales; hacer lo que es mandado o abstenerse de hacer lo que es prohibido (Diccionario Webster, 1828).
Cumplir la voluntad de quien manda (Diccionario de la Real Academia Española, vigésima segunda edición).

- ► Mandamiento:

Mandato; una orden o precepto dado por la autoridad. (Diccionario Webster, 1828).

IDEA PRINCIPAL:

- ▸ Dios quiere traer su Reino a la tierra.
- ▸ La obediencia es necesaria para traer el Reino de Dios a la tierra.

ESCRITURA BÍBLICA:

- ▸ Mateo 6:10: «Venga tu reino. Hágase tu voluntad en la tierra, así como se hace en el cielo».

Contenido de la lección

ACTIVIDAD DE INICIO:

Actividad: «Construye un reino»

Usted necesitará:

- Una cartulina para cada grupo.

Dígale a los chicos que jugarán el juego «Construye un reino». Divida a los chicos en dos grupos. Explique que un reino tiene tres componentes esenciales: Un rey, súbditos y leyes, y que ahora ellos tienen la oportunidad de hacer su propio reino. Deben escoger un rey que los represente y escribir cuales son las cualidades de su rey, las responsabilidades de sus súbditos y cuáles serán las leyes de su reino en una cartulina. Asigne un tiempo limitado. No más de 10 minutos.

El maestro debe pedirle al rey de cada grupo que digan lo que escribieron. Luego dirá: «Así mismo, toda la creación tiene un rey. ¿Recuerdan quién es?». (Permitir que los chicos contesten). «¿Cómo era este rey?». (Permitir que los chicos contesten). Enfatice que el Rey de todo lo creado es una persona. «¿Cómo es el carácter de este Rey bueno?». (Repase las cualidades del carácter de Dios. Enfatice que su carácter se basa en amor y que por esto podemos decir que Él es bueno).

«Nosotros, como súbditos, debemos obedecer primeramente al buen Rey Dios, quién nos ha dado leyes para el bienestar de todos porque nos ama. Vamos a investigar más acerca de nuestras responsabilidades conociendo cuales son las leyes de su Reino».

DESARROLLO:

Usted necesitará:

- Silueta de una persona con una corona (esta puede ser hecha con papel traza, es la misma utilizada para la clase del Rey y su Reino I).
- Rótulo de la palabra de vocabulario «REINO DE DIOS» (lámina 2.2).
- Lámina de la creación (lámina 2.1).
- Lámina de las tablas de los 10 mandamientos (lámina 2.3).

- 10 franjas de cartulina con los 10 mandamientos escritos (lámina 2.4).
    - ► No tendrás otro rey aparte del buen Rey Dios.
    - ► No te harás otros reyes ni los adorarás.
    - ► No uses el nombre del buen Rey Dios para hacer chistes, ni decir mentiras.
    - ► Después de trabajar arduamente, descansa un día.
    - ► Respeta, obedece y ama a tus padres.
    - ► No matarás.
    - ► Amarás y respetarás a tu esposo o esposa.
    - ► No tomarás cosas que no te pertenecen.
    - ► No dirás mentiras.
    - ► No estarás deseando las cosas de tus compañeros.
- Lámina de los desobedientes (lámina 2.5).
- Lámina de la cruz (lámina 2.6).
- Lamina de nuestra misión (lámina 2.7).
- Cinta adhesiva de papel
- Sobre de manila para cada mandamiento.

Durante la clase se abordarán 5 partes importantes: 1. Nuestro buen Dios creó todo lo que existe: animales, planetas, plantas, los seres humanos, etc.; 2. Nos dio unos mandamientos buenos para enseñarnos a vivir; 3. Hay personas que han decidido ser desobedientes; 4. Jesús vino a darnos salvación; 5. Tenemos una misión dentro del Reino de Dios. (Al discutir cada parte, un chico pegará la imagen que corresponde en la pared).

1. Dios creó todo lo que tus ojos pueden ver: creó las aves, los animales marinos, los animales que se mueven en la tierra, las estrellas, etc. También Dios creó a los seres humanos de los cuales tú y yo somos parte. (Pegar lámina de la creación [ver lámina 2.1]).

2. Cada uno de ustedes está llamado a traer el Reino de Dios a todo lugar. ¿Sabes qué es el Reino de Dios? El Reino de Dios es todo lugar donde se hace la voluntad de Dios. (Repita la definición y pegue la palabra de vocabulario «REINO DE DIOS» [ver lámina 2.2] en el muro de las palabras y lea Mateo 6:10). En otras palabras, el Reino de Dios está donde las personas como tú y como yo le obedecen. Tú puedes traer el Reino de Dios cuando haces su voluntad. Pero, ¿cómo sabes cuál es su voluntad?, ¿Qué fue lo que Él nos dejó para saberlo? Los 10 mandamientos. (Pegar lámina de las tablas de los 10 mandamientos [ver lámina 15.34).

Los 10 mandamientos nos enseñan cómo debemos de vivir y se resumen en: amar al Rey Dios y a las demás personas. El buen Rey que es grande en amor, hizo leyes buenas y justas, y nos las dio para que nosotros las cumplamos y vivamos felices.

«Veamos cuáles son esos mandamientos que tú y yo debemos obedecer». (Colocar cada mandamiento en un sobre aparte [ver lámina 2.4 para los rótulos de los mandamientos]. Pídale a un voluntario que escoja un sobre, lea el mandamiento y lo coloque en el número correspondiente en la lámina de las tablas de los 10 mandamientos [ver lámina 2.3]. Los demás chicos le pueden ayudar a recordar el número del mandamiento):

1. No tendrás otro rey aparte del buen Rey Dios.

2. No te harás otros reyes ni los adorarás.

3. No uses el nombre del buen Rey Dios para hacer chistes, ni decir mentiras.

4. Después de trabajar arduamente, descansa un día.

5. Respeta, obedece y ama a tus padres.

6. No matarás.

7. Amarás y respetarás a tu esposo o esposa.

8. No tomarás cosas que no te pertenecen.

9. No dirás mentiras.

10. No estarás deseando las cosas de tus compañeros.

«El propósito de estas leyes es protegernos y traer orden. Nos enseñan a convivir unos con otros. Sólo cuando obedecemos los mandamientos de Dios y hacemos lo que Él nos dice traemos su Reino a la Tierra».

3.   Pero como el buen Rey Dios nos hizo libres, nosotros podemos decidir obedecerle o no obedecerle. Muchos le dieron la espalda a Dios y desobedecieron sus leyes. (Pegar lámina de personas dándole la espalda a Dios o a los mandamientos [**ver lámina 2.5**]).

«¿Qué hicieron estas personas? ¿Qué vimos en el drama? Estas personas han traído ideas incorrectas acerca del Rey. Muchos sirven al dinero como si fuera el rey; otros a los fetiches y otros al ser humano, etc.».

«Nosotros mismos podemos ser esas personas que se rebelan contra Dios trayendo así dolor a su corazón».

4.   Pero no todo está perdido. Dios preparó un plan para salvarnos… JESÚS. (Pegar lámina de la cruz [ver Lámina 2.6]) ¿Qué hizo Jesús por nosotros? (Permita que los chicos contesten). Jesús murió en la cruz por ti y por mí para librarnos del pecado. Con su muerte nos dio otra oportunidad de estar con Él y entrar en su Reino. Pero para esto tenemos que arrepentirnos y humillarnos por nuestro pecado de desobediencia. Si tú has desobedecido al buen Rey Dios puedes pedirle a Jesús que te perdone.

(Dígales a los chicos que van a conocer a Jesús y que preparen sus corazones para escucharle. Pregunte a los chicos si alguno de ellos reconoce que necesita recibir a Jesús en su corazón y arrepentirse de sus pecados. Luego de orar por aquellos que respondan al llamado, continúe con la clase).

«La llave para entrar al Reino de Dios es el arrepentimiento y la puerta por la que podemos entrar es la salvación. Una vez te arrepientes y recibes la salvación has entrado al Reino de Dios. Aprenderás también lo que abarca el Reino de Dios y cómo traerlo a la Tierra en cada una de las esferas de la sociedad que vimos en el drama de bienvenida. Gracias a que Jesús murió y resucitó para salvar a los que se arrepienten de su desobediencia, en cada rincón de la tierra existen seres creados a su imagen y semejanza dispuestos a cumplir la misión que Él Rey nos ha dado».

5.   ¿Cuál es la misión? (Pegar lámina de nuestra misión [ver lámina 2.7). La misión es: Conocer a Dios para darlo a conocer haciéndolo Rey en cada una de las áreas de la vida, en todo lo que hagamos y enseñándole a otros a obedecerle. (Puede reforzar la misión haciendo señas. Al mencionar las palabras «conocer a Dios», toque su cabeza. Y cuando diga «haciéndolo Rey», haga como si se estuviera colocando una corona en su cabeza. Cuando diga «en cada una de las áreas de la vida, en todo lo que hagamos» mueva sus manos señalando todas las cosas a su alrededor). Esto implica limpiar nuestros

cuartos, jugar, estudiar, comer, orar etc. La historia no se ha acabado porque tú la continuarás. Tú tienes un lugar muy importante en la historia de Dios. Aunque eres chico puedes traer el Reino de Dios al obedecerle, haciendo las cosas como Él dice que las hagamos.

CIERRE:

Aplicación/Resumen

Usted necesitará:

Utilizando las imágenes de la historia de nuestro Reino repase la clase con los chicos. Enfatice que esta historia no se ha acabado, pues ellos la continuarán reconociendo a Dios Rey en todo lo que hacen: limpiando sus cuartos, obedeciendo a mamá y papá, ayudando a otros, etc.

HOJA DE REGISTRO:

Usted necesitará:

- 7 papeles de varios colores o papel de construcción para formar un libro para cada estudiante (cada papel será de la mitad de un papel tamaño carta).
- Grapadora, abrochador o engrampadora.
- Láminas de La historia de nuestro Reino (estas son las mismas que las láminas utilizadas en la clase I y II del Rey y su Reino pero a pequeña escala. El libro será confeccionado de tal manera que las imágenes queden horizontalmente). (Anexo 29.b)
    ▸ Tema impreso: «La historia de nuestro Reino»
    ▸ Silueta de una persona con una corona, un cerebro, un corazón y unas manos; más el diamante del carácter de Dios.
    ▸ Lámina de la creación (ver lámina 2.1).
    ▸ Lámina de las tablas con los 10 mandamientos (ver lámina 15. 34).
    ▸ Lámina de los desobedientes (ver lámina 2.5).
    ▸ Lámina de la cruz (ver lámina 2.6).
    ▸ Lámina de nuestra misión (ver lámina 2.7).
- Pegamento blanco
- Sobre o carpeta (este será para que los chicos guarden sus trabajos).

Libro La historia de nuestro Reino

Tenga preparados de antemano los libros para cada chico. El tamaño del libro debe ser la mitad de un papel tamaño carta. Utilice papel de construcción o de colores para confeccionar el libro que constará de siete páginas (ver anexo 29.b, para detalles del orden de las páginas). Los chicos pegarán las láminas en el orden de la historia del Reino. Pida a cada chico que escriba en cada página una descripción de lo que significa la imagen. Esta descripción debe ir de acuerdo con lo aprendido en la clase. Colorearán el libro en sus grupos pequeños ese día, si no les da tiempo durante la clase. Al terminar guarden el trabajo en el cofre del tesoro de cada estudiante.

Tiempo a solas con Dios

Lección 3

Tiempo a solas con Dios
(Clases chicos 12-14 años)

TIEMPO: 2 horas.

OBJETIVOS:

- Conocer los pasos para tener un tiempo a solas con Dios.
- Poner en práctica los pasos para un tiempo a solas con Dios.
- Animarlos a desarrollar una amistad con Dios diaria.

VOCABULARIO:

- Devocional:

Perteneciente a la devoción, usado en devoción… (Diccionario Webster, 1828).

- Devoción:

El estado de estar dedicado, consagrado o solemnemente separado para un propósito particular. (Diccionario Webster, 1828).

- Amistad:

Afecto personal, puro y desinteresado, compartido con otra persona, que nace y se fortalece con el trato. (Diccionario de la Real Academia Española, vigésima segunda edición).

IDEA PRINCIPAL:

- Puedes conocer a Dios conforme pases tiempo con Él.

ESCRITURA BÍBLICA:

- Juan 17:3 «Y la vida eterna consiste en que te conozcan a ti, el único Dios verdadero, y a Jesucristo, a quien tú enviaste».

ACTIVIDAD DE INICIO:

Pida a los chicos que elijan al compañero que menos conozcan. Asegúrese que los chicos queden en parejas o en grupos de tres. Pídales que se hagan las siguientes preguntas: «¿Cómo te llamas? ¿Cuántos años tienes? ¿Cuál es tu comida favorita? ¿Cuál es tu pasatiempo favorito? ¿Dónde vives?». (Luego pídales a una o dos parejas voluntarias que compartan lo que aprendieron de sus compañeros).

Maestro: «¿Sabías las respuestas a las preguntas antes de compartir con tu compañero? ¿Conoces un poco más a tu compañero ahora? ¿Por qué?». (Permita que los chicos respondan). «Para conocer a un amigo debemos pasar tiempo juntos». (Pídales a los chicos que se dividan en grupos pequeños).

DESARROLLO:

Usted necesitará:

- Un peluche (puede ser pequeño o grande. El maestro lo mostrará a la clase).
- Una flor (puede ser de verdad u ornamental de plástico. El maestro la mostrará a la clase).
- Rótulo de la palabra de vocabulario «DEVOCIONAL» (lámina 3.1).
- Lámina de la frase: «Pasos para un tiempo a solas con Dios» (lámina 15.2).
  - ▸ Lámina con la frase «Corazón limpio» (lámina 15.3).
  - ▸ Lámina con la frase «Alabanza y adoración» (Lámina 3.3).
  - ▸ Lámina con la frase «Callar las voces» (lámina 15.4).
  - ▸ Lámina con la frase «Leer y meditar en la Palabra de Dios» (lámina 15.5).
  - ▸ Lámina con la frase «Orar por otros/ Interceder» (lámina 15.6).
  - ▸ Lámina con la frase «Dar gracias» (lámina 15.7).
- Barro o arcilla.
- Papel blanco (por lo menos uno, ideal uno para cada chico).
- Un crayón o lápiz (por lo menos uno, ideal uno para cada chico).
- Toallas húmedas o balde con agua y toalla (para lavar y secar las manos de los chicos que participen en la dinámica de la pintura para dedos).
- Canción de alabanza.
- Objetos de metal como cucharones y ollas (si se hace opción #1 para actividad de «Callar las voces»).
- Cartulinas con el versículo de 2 Timoteo 3:16-17 en versión Lenguaje Actual: «Todo lo que está escrito en la Biblia es el mensaje de Dios, y es útil para enseñar a la gente, para ayudarla y corregirla, y para mostrarle cómo debe vivir».

«En Génesis 1:27 podemos ver que Dios, nuestro Creador, nos hizo a su imagen y semejanza. ¿Qué quiere decir esto? Que somos como Él. Tenemos intelecto, tenemos emociones y tenemos voluntad; ¡al igual que Él! Dios nos hizo a su imagen y semejanza para que podamos relacionarnos con Él, para que podamos ser sus amigos». (Hacer referencia a la clase del carácter y personalidad de Dios). (Ahora muéstreles un peluche). «¿Me puedo yo relacionar con este peluche? ¿Puedo ser amigo de este peluche? ¿Él me va a responder, a escuchar? ¡No! Porque no fuimos creados con el mismo diseño. Nosotros estamos hechos a la imagen y semejanza de Dios y por eso podemos relacionarnos con Él».

(Mostrar una flor). «¿Podremos tener una amistad con esta flor?». (Permitir que los chicos contesten). Por más tiempo que pasemos con la flor no podríamos tener una amistad con la flor porque no está hecha a imagen y semejanza nuestra. Pero si podemos ser amigos de Dios porque nos creó parecidos a Él.

«Dios quiere que le conozcamos y seamos sus amigos. Para poder hacer esto debemos pasar tiempo con Él. A este tiempo le llamamos tiempo a solas o devocional. El devocional es un tiempo que separamos con el propósito de conocer a Dios». (Repita la definición y pegue el rótulo de la palabra de vocabulario «DEVOCIONAL» en «El muro de las palabras» [ver lámina 3.1]).

«Hay 6 pasos que nos ayudarán a tener un buen tiempo con Dios». (A medida que discuta cada uno de los pasos saque un tiempo para ponerlo en práctica en grupos pequeños. En caso de no tener un líder por grupo pequeño, hágalo usted mismo con todo el grupo. De antemano separe una parte de la pared para colocar los pasos del tiempo a solas con Dios).

ACTIVIDADES:

1. **Corazón limpio:** (Pegue en la pared la franja de «Tiempo a solas con Dios» y el paso «Corazón limpio» [ver láminas 15.2, 15.3]).

(Pedir un voluntario que se ensucie las manos con barro. Mientras el chico hace esto diga): Cuando hacemos cosas que a Dios no le agradan (mentir, pelear, robar, desobedecer), estamos pecando. Eso ensucia nuestros corazones; así como este chico tiene las manos sucias.

(Luego dígale al voluntario que le haga una carta a Dios, sin ensuciar el papel. Cuando el chico termine diga): Así como no se puede escribir la carta sin ensuciar el papel porque tiene las manos sucias, tampoco podemos hablar con Dios si tenemos pecado en nuestro corazón. La Biblia dice en Mateo 5:8, que sólo el limpio de corazón verá a Dios.

(Limpie las manos del/los chicos y diga): «Nosotros podemos ser limpios del pecado. ¿Cómo? Arrepintiéndonos. Esto ocurre cuando pedimos perdón y decidimos no volver a pecar. No se trata de sentirnos mal por lo que hicimos, sino de decidir que no lo vamos a hacer jamás».

(En grupos pequeños tome un tiempo para auto- examinarse y pedirle al Espíritu Santo que les muestre si han hecho algo que ha traído tristeza a su corazón. Dirija a los chicos en una oración de arrepentimiento por los pecados que han cometido).

2. **Alabanza y adoración:** (Pegue en la pared el paso «Alabanza y adoración» [ver lámina 3.3]). La adoración consiste en reconocer a Dios por quien Él es. Es decirle que lo admiran, que lo aman y que están muy agradecidos de estar con Él, por lo que desean hacer cosas que alegren su corazón.

«Podemos demostrarle nuestro amor a Dios de diferentes formas, no sólo cantando sino dibujando, escribiéndole una carta o diciéndole palabras que le agraden».(Ponga una canción de alabanza que sea dinámica. Enséñeles movimientos con la letra de la canción para que ellos puedan adorar a Dios de esta manera. La canción y los movimientos que se les enseñarán a los chicos deben estar preparados con anticipación. Otra opción es dar a los chicos una hoja en blanco dónde puedan crear un dibujo que muestre su adoración a Dios).

3. **Callar las voces:** (Pegue en la pared el paso «Callar las voces» [ver lámina 15.4]).

Actividad:

Escoja tres voluntarios. Dos se colocarán en un extremo diferente del salón y uno de ellos a un punto equidistante entre los dos. El maestro le pedirá a uno de ellos que le pase un mensaje gritando a su compañero. Debe explicarles que tendrán dificultad, pues los chicos gritarán y se pondrá música muy alta mientras se pasan el mensaje. Para pasar el mensaje tienen que tratar de gritarlo al otro compañero sin moverse.

(Después de la actividad diga): «Para poder escuchar a una persona claramente no podemos tener ruido alrededor. Necesitamos silencio. Igual sucede con Dios; para poder escucharlo necesitamos silenciar cualquier otra voz que pueda distraernos».

«Cada uno podemos escuchar tres voces: la de Dios, la de nosotros mismos y la de Satanás. Si queremos escuchar a Dios callaremos nuestra propia voz y la de Satanás en el nombre de Jesús. Podemos callar estas voces porque Dios nos ha dado el poder y la autoridad para hacerlo en el nombre de Jesús».

(Dirija a los chicos en una oración para silenciar sus propias ideas y la voz de Satanás en el nombre de Jesús. Permita que los chicos repitan la oración después de usted. Observación: Para acallar la voz de Satanás no se trata de pelear con los demonios porque los chicos son muy sensibles a los temas de monstruos. No se debe sobre enfatizar el asunto de Satanás sino el poder que tenemos en Jesús).

4. **Leer y meditar en la Palabra de Dios:** (Pegue en la pared el paso «Leer y meditar en la palabra de Dios» [ver lámina 15.5]).

«¿Qué mejor forma para conocer a Dios que a través de la Biblia, que es su Palabra? El salmo 119:97 dice: "¡Cuánto amo tu enseñanza! ¡Todo el día medito en ella!". Debemos meditar en la Palabra que Él nos dejó».

Actividad:

Decir a los chicos que van a leer un versículo de la Biblia. Al decir esto muestre su Biblia. Diga que usted ha colocado el versículo en unas cartulinas que ha escondido por todo el salón (ver anexo 30.a).
Pida a los chicos que las busquen hasta encontrarlas, y que las coloquen en orden de acuerdo al número que tienen las frases en la parte de atrás. (Usted deberá esconder las frases que componen el versículo antes de la clase).

Puede utilizar la siguiente versión del versículo: «Todo lo que está escrito en la Biblia es el mensaje de Dios, y es útil para enseñar a la gente, para ayudarla y corregirla, y para mostrarle cómo debe vivir». 2 Timoteo 3:16-17. Lea el versículo con los chicos y explique que la Palabra de Dios es la que nos enseña a vivir y nos corrige para ser más parecidos a Dios.

5. **Orar por otros/Interceder:** (Pegue en la pared el paso «Orar por otros/ Interceder» [ver lámina 15.6]). La oración es una declaración de humildad, dependencia y ayuda, que produce intimidad, santidad, unidad y dirección. La oración nos permite conocer a Dios y lo que Él

quiere de nosotros. Es la forma más indicada de estar cerca de Él.Existen varios tipos de oración (puede pedir varios voluntarios para que busquen en sus biblias los versículos correspondientes y los lean a la clase):

a. *De petición:* Salmos 88:13 Cuando haces una oración de petición le expresas a Dios tus necesidades para que el Señor sea propicio y en su voluntad provea para esa necesidad particular. No solo pides por necesidades materiales (cosas, dinero, etc.), sino también por necesidades espirituales, de habilidades, mentales, etc.

b. *De confesión:* Salmos 51:4 Cuando haces una oración de confesión es un momento de quebrantarte delante de Dios pidiéndole perdón por tus pecados. Esta oración es la que se hace en el paso de corazón limpio cuando haces tu devocional.

c. *De adoración:* Salmos 95:6 Cuando haces una oración de adoración te centras en la persona de Dios, en sus características eternas, en su amor, su santidad, su poderío, su belleza, etc. Es un momento para exaltarlo. Esta oración es la que haces en el segundo paso de este tiempo devocional o tiempo a solas con Dios.

d. *De acción de gracias:* 1 Cron. 29:13 Cuando haces una oración de acción de gracias le muestras a Dios agradecimiento por las cosas que te ha dado o por el bien que ha hecho en tu vida. Con esta clase de oración cerramos el tiempo a solas con el Señor.

e. *De intercesión:* Filipenses 1:9 Cuando haces una oración de intercesión levantas una oración de súplica a Dios, en favor de otros. En este momento de tu tiempo a solas con Dios puedes orar por personas que tienen necesidades o no conocen al Señor; también puedes orar por las naciones. Puedes pedirle a Dios que te hable y te diga por qué y cómo orar por otros.

Ten en mente que la oración te acercará a Dios y te santifica cada vez más. Como dice Santiago 4: 8a: «Acercaos a Dios, y Él se acercará a vosotros» y 1 Timoteo 4:5: «Porque es santificado mediante la palabra de Dios y la oración».

5. Dar gracias: (Pegue en la pared el paso «Dar gracias». [ver lámina 15.7]).

«Debemos estar agradecidos por todo lo que Dios ha hecho y sigue haciendo por nosotros. Nunca debemos cesar de dar gracias. Como ya hemos llegado al final de nuestro tiempo con Dios, agradezcámosle a Él por este tiempo tan maravilloso y porque sabemos que Él va a contestar nuestras oraciones». (Dar gracias a Dios en grupos pequeños o todos juntos. Es importante que un líder dirija la oración para enseñarles cómo hacerla).

CIERRE:

Aplicación/Resumen

«Conocemos a una persona a medida que pasamos tiempo con ella. Conoceremos más a profundidad a Dios mientras más tiempo pasemos con Él. Vamos a repasar los 6 pasos del tiempo a solas con Dios: limpiar nuestro corazón, adorar, callar las voces, leer y meditar en la Biblia, orar e interceder y dar gracias». (Permita que los chicos los memoricen). «¿Ustedes pasan tiempo con Dios cada día? ¿Pueden decir que lo conocen? ¿Qué tal si le prometemos a Dios que pasaremos tiempo con Él todos los días para conocerle mejor y así ser mejores amigos?». (Haga una oración que dirija a los chicos a comprometerse con Dios, en buscarle y conocerle).

Usted necesitará:

- Hoja de trabajo «Tiempo a solas con Dios» (Anexo 30.b).

Los chicos enumerarán los pasos que los ayudarán a conocer a Dios en su tiempo a solas con Él. Luego firmarán su compromiso de trabajar para mejorar su relación con Dios (ver Anexo 30.b). Una vez terminen guardaran su trabajo en un sobre o carpeta.

Intercesión

Lección 4

Intercesión

(Clases chicos 12-14 años)

TIEMPO: 1 hora.

OBJETIVOS:

- Definir qué es la oración intercesora.
- Aprender los pasos para la intercesión.
- Animar a trabajar en equipo con Dios a través de la intercesión.
- Practicar los pasos de la intercesión.

VOCABULARIO:

- Interceder:

Mediar; interponer; hacer intercesión; actuar entre las partes con vista a traer reconciliación entre aquellos que difieren o contienden. (Diccionario Webster, 1828).

Mediar por otro. (Diccionario de la lengua española © 2005 Espasa-Calpe).

Hablar en favor de alguien para conseguirle un bien o librarlo de un mal. (Diccionario de la Real Academia Española, vigésima segunda edición).

IDEA PRINCIPAL:

- Cuando intercedemos, estamos trabajando en equipo con Dios.

ESCRITURA BÍBLICA:

- Ezequiel 22:30-31: «Yo he buscado entre esa gente a alguien que haga algo en favor del país y que interceda ante mí para que yo no los destruya, pero no lo he encontrado. Por eso he descar gado mi castigo sobre ellos y los he destruido con el fuego de mi ira, para hacerlos responder por su conducta. Yo, El Señor, lo afirmo».

Contenido de la lección

ACTIVIDAD DE INICIO:

Usted necesitará:

- Sillas o pupitres del salón de clases.

(Coloque en un extremo del salón varias sillas o pupitres dispersos. Puede utilizar aquellas sillas o pupitres que los mismos chicos utilizan en el salón. Pídale a un chico que coloque todas las sillas en su lugar. A medida que el chico comience a colocar las sillas, pregúnteles a todos los chicos si ésta es la mejor manera de acomodar todas las sillas en el menor tiempo posible. Pregunte de qué manera se podría hacer un mejor trabajo. Escuche las ideas de los chicos. Luego coloque un grupo de chicos en una línea de un extremo del salón al otro y pídales que se pasen las sillas uno a otro. Muéstreles a los chicos que se avanza más y se es más efectivo cuando todos trabajan en equipo.

Maestro (al terminatr la lección): «¿Cuándo fuimos más rápidos y efectivos al tratar de organizar las sillas? ¿Cuando lo hizo una sola persona o cuando trabajamos en equipo?». (Permita que los chicos contesten).

«Fuimos más rápidos y eficientes cuando todos trabajamos en equipo. De esta manera quiere Dios trabajar con nosotros en equipo. Él ha decidido que tú y yo trabajemos con Él para que pueda hacer grandes milagros alrededor del mundo».

DESARROLLO:

Usted necesitará:

- Rótulo de la palabra de vocabulario «INTERCESIÓN» (lámina 4.1).
- Cinta adhesiva.
- Láminas con los pasos de intercesión:
    - Corazón limpio (lámina 4.2).
    - Adoración (lámina 4.3).
    - Callar las voces (lámina 4.4).
    - Guía del Espíritu Santo (Lámina 4.5).
    - Gracias en fe (lámina 4.6).
    - Esperar en silencio (lámina 4.7).
    - Orar (lámina 4.8).
    - Dar gracias (lámina 4.9).

«¡Qué oportunidad tan maravillosa es poder ser parte del equipo vencedor de Dios! ¿Y saben cómo podemos comenzar a ser parte del equipo de Dios? A través de la intercesión. La intercesión es una clase de oración donde pedimos con todas nuestras fuerzas a favor de otros para conseguirles

un bien o librarlos de un mal. Dios nos muestra en la intercesión algunas cosas de otros, no de mí, para orar por ellas y así trabajar en equipo con Dios». (Mostrar la palabra «INTERCESIÓN» [ver lámina 4.1. Pegar la palabra «INTERCESIÓN» en «El muro de las palabras»).

«Cuando intercedemos estamos conociendo el corazón de Dios y trabajando en equipo con Él para cambiar la historia. En la intercesión nos convertimos en co-creadores con Dios». (Pídales a los chicos que le ayuden a crear un poema Syntu o Cinquain* [Ver nota al final de la clase para instrucciones detalladas].

Escoja un concepto sencillo que ellos ya hayan escuchado en clases anteriores como por el ejemplo «el amor de Dios.» Pídales ideas a los chicos de acuerdo con las instrucciones del poema que escojan. Una vez terminado el poema diga: Ustedes acaban de ser co-creadores conmigo. Este poema no se hubiera logrado sin la ayuda de ustedes. Ser co-creadores significa asociamos para crear algo».

«Cuando intercedemos nos asociamos con Dios para cambiar la historia de personas, naciones o situaciones que otros pueden tener».

«¿Se acuerdan cuando hablamos de los 6 pasos para tener un tiempo a solas con Dios? En uno de los pasos hablamos un poco acerca de la oración de intercesión. Dios desea que oremos con todas nuestras fuerzas y pidamos ayuda para otros. Recuerden: la intercesión consiste en orar por otros y no por ti mismo».

«Mediante la intercesión, Dios cambia la vida de los demás. Dios dice que está buscando personas que intercedan por otros para actuar a favor de ellos. Dios está buscando personas que quieran trabajar en equipo para cambiar la historia». (Buscar Ezequiel 22: 30 y leerlo a los chicos. Si desean pueden subrayarlo en sus biblias).

«Hubo una época en la cual el pueblo de Israel se había revelado contra de Dios y le estaba desobedeciendo y haciendo cosas muy malas como adorar dioses falsos. A veces, para adorar a esos dioses mataban bebés y eran malos con sus padres, desobedientes, asesinos, y mentirosos. Tanto mal hicieron que el Señor estaba muy enojado y llegó a la conclusión de que debía castigarlos muy severamente con un castigo que les iba a traer muchísimo dolor. Pero a pesar de eso, Dios estaba buscando una persona en la Tierra que clamara por misericordia para ese pueblo malo y que clamara para que sus corazones cambiaran. Pero, ¿saben lo que pasó? Dios no encontró a nadie».

«Dios todavía está en busca de personas que intercedan por otros como un puente entre Dios y las personas o naciones en necesidad». (Puede ilustrar la brecha con un dibujo inicial de dos montes con un abismo que los separa, y luego colocando un puente que une los montes.)

«¿Qué les parece si tú y yo nos convertimos en esas personas que Dios está buscando para ser parte de su equipo que intercede a favor de otras personas, países y naciones?». (Anime a los chicos a ser parte de los intercesores que Dios está buscando).

«Vamos a aprender cuáles son los pasos para la oración intercesora». (De antemano, coloque debajo de algunas sillas los pasos para la Intercesión. [Ver láminas 4.2 a 4.9].

Diga a los chicos que busquen los pasos para la intercesión que se encuentran pegados debajo de algunas sillas. Pida al chico que encontró el paso No.1 que lo pegue en la pared y discuta. Al finalizar de discutir cada paso pídale al próximo chico que pegue el paso encontrado. Es importante considerar que los primeros tres pasos de la intercesión son similares a los del tiempo a solas con Dios por lo que se tocarán a modo de repaso. Podría practicar cada paso a medida que lo enseña a sus estudiantes o practicarlo el próximo día en el tiempo separado).

1. Corazón limpio: (Ver lámina 4.2). El primer paso para interceder es tener un corazón limpio. ¿Recuerdan dónde vimos la importancia de tener un corazón limpio? (Permitir que los chicos contesten). Hablamos de esto en el tiempo a solas con Dios. Es importante que miremos nuestro interior y permitamos que Dios nos diga si hemos cometido algún pecado, que ha traído tristeza a su corazón y así arrepentirnos.

2. Adoración: (Ver lámina 4.3). Una vez tengamos un corazón limpio podemos alabar y adorar a Dios por lo que ha hecho por nosotros y por quién Él es. Hasta ahora, ¿qué me pueden decir de cómo es Dios? (Animar a los chicos a contestar de acuerdo a lo que han aprendido de Dios en las clases del Rey y su Reino. La maestra puede hacer referencia a las imágenes pegadas en el salón de las cualidades del carácter de Dios. También pueden leer el salmo 145 para identificar más cualidades con las que pueden exaltar a Dios).

Maestro: «¿Se acuerdan que este paso también está en el tiempo a solas con Dios?». (Permitir que los chicos contesten). Recuerden que podemos demostrarle a Dios que le amamos cantando, diciéndoselo con nuestras palabras, dibujando, etc.

3. Callar las voces: (Ver lámina 4.4). Al terminar de adorar a Dios podemos pasar al siguiente paso que es callar las voces. ¿Se acuerdan que este paso también lo hacemos cuando vamos a tener un tiempo a solas con Dios? ¿Quién recuerda qué voces debemos callar? (Permitir que los chicos contesten). Muy bien, debemos callar la voz del enemigo y nuestra propia voz. Esto lo hacemos porque la única voz que deseamos escuchar es la voz de Dios. Recuerden que en la intercesión Dios desea compartir su corazón contigo, y quiere decirte por quién orar, cómo orar, qué palabra darle a alguien, etc…

4. Guía del Espíritu Santo: (Ver lámina 4.5) (Divida a los chicos en parejas. En cada pareja uno de los chicos tendrá los ojos vendados y el otro tendrá la responsabilidad de guiarlo sólo hablándole, sin tocarlo. Puede colocar obstáculos en el tramo que ellos deben recorrer de un extremo al otro del salón. Una vez lleguen al otro extremo del salón el maestro dirá): imagínate que tuvieras que caminar con los ojos vendados sin tropezar con ninguno de los obstáculos. Esto sería muy difícil. Tu compañero te ayudó guiándote porque él podía ver lo que tú no podías. Así mismo es en la intercesión. Tú no puedes ver las necesidades y situaciones que ocurren alrededor, pero el Espíritu Santo sí. Para poder interceder orando por aquellas cosas que están en el corazón de Dios necesitamos que el Espíritu Santo nos guíe.

En este momento puedes orar diciendo: «Espíritu Santo, dependemos de ti. Guíanos para orar por aquellas cosas que están en el corazón de Dios y enséñanos cómo podemos orar».

5. Gracias en fe: (Ver lámina 4.6). Luego de decirle al Espíritu Santo que necesitamos que Él nos guíe, le damos gracias confiando que nos va a decir aquellas cosas por las cuales orar. Podemos decirle: «Gracias Señor porque sabemos que nos vas a decir por qué cosas orar».

6. Esperar en silencio: (Ver lámina 4.7). Ahora llegó el momento más emocionante porque vamos a escuchar aquellas cosas por las que Dios quiere que oremos. Tal vez escuches la voz de Dios, o tal vez recibas una imagen de alguien en tu mente. No te preocupes si al principio no percibes nada. Poco a poco aprenderás a escuchar la voz de Dios. Como vamos a interceder en grupo es importante que alguien del grupo sirva de secretario y anote todas las cosas que el Espíritu Santo les haya compartido.

7. Orar: (Ver lámina 4.8). Una vez Dios nos muestre por qué orar, lo compartimos en nuestro grupo. Tenemos que orar con todas nuestras fuerzas porque queremos ver a Dios obrando a favor de las personas o países por los que estamos orando.

«Cuando oren deben de hacerlo una persona a la vez y una petición a la vez. Luego que la persona termine, otros lo pueden hacer. Cuando Dios haya terminado de revelar cómo orar se prosigue con la próxima petición». (Pueden hacer un drama donde un grupo de 2 a 3 personas llegan a orar, hacen cada paso de la intercesión y uno ora por los chicos en África, otro ora por los misioneros de China, otro vuelve a orar por los chicos de África, etc… La idea es que oren sin ánimo y en desorden sin que se entienda nada. Este drama no debe de durar más de 3 minutos. Luego puede hacer el drama con el ejemplo correcto de cómo se debe orar).

8. Dar gracias: (Ver lámina 4.9). Al finalizar damos gracias a Dios por todo lo que Él ha hecho creyendo que Él contestará nuestras oraciones y por permitirnos ser un equipo con Él.

Estos son los pasos que nos servirán de guía para el momento de intercesión donde estaremos trabajando en equipo con Dios. Recuerda siempre que intercedas tener una Biblia y una libreta donde anotar lo que Dios te diga.

Nota: (El maestro puede utilizar este momento para enseñarle a los chicos acerca de la oración Daniel [Ver anexo 31.a]).

CIERRE:

Usted necesita:

A continuación, les damos las siguientes sugerencias prácticas al momento de interceder:

    a. Hacer grupos de cinco personas.

    b. Tener un líder que dirija los pasos y un secretario que anote lo que Dios vaya compartiendo.

    c. Buscar un lugar cómodo que no haya ninguna distracción.

    d. Orar por temas específicos. Si Dios nos muestra orar por la nación de China orar por cosas específicas como por libertad para la nación, por los cchicos huérfanos, etc…

    e. Hacer peticiones breves y concretas. Si hacemos oraciones muy largas los demás no tendrán oportunidad de orar.

    f. Empezar a orar de la petición más lejana a la más cercana. Si Dios trae orar por los ancianos de tu ciudad y por el gobernador de Yugoslavia, se debe orar primero por el gobernador de Yugoslavia y luego por los ancianos de tu ciudad.

    g. Tener un Biblia disponible en caso que el Señor nos dé una palabra.

    h. Tener una libreta para anotar todo lo que Dios ha hablado a nuestro corazón.

«Al convertirnos en los intercesores de Dios vamos a estar trabajando en equipo con Él. Hay muchas personas en necesidad esperando que levantemos una oración a Dios para que Él pueda ayudarles. La intercesión es un tiempo muy emocionante porque aprenderemos a escuchar a Dios y seremos parte de las cosas que él desea hacer en el mundo. Luego de la manualidad de hoy vamos a tomar un tiempo para practicar la oración intercesora en sus grupos pequeños».

HOJA DE REGISTRO:

Usted necesitará:

- Dibujo de un puente (Anexo 31.b).
- Lápices de colores.

Cada chico tendrá el dibujo de un puente (Ver anexo 31.a). Ellos llenarán los espacios escribiendo los pasos para la Intercesión en orden de izquierda a derecha. De tener tiempo, puede permitir que los chicos coloreen el puente. Asegúrese de que cada dibujo tiene el nombre del chico. Una vez terminada la manualidad los chicos guardarán el dibujo del puente en su sobre o carpeta.

Nota: Instrucciones para crear un poema Syntu o Cinquain

Instrucciones poema *Syntu

(Tomado de «El *assesment* como medio para la evaluación auténtica del aprendizaje», Prof. Julio E. Rodríguez Torres). (Buscar en Internet).

Los poemas Syntu son formas no convencionales de escribir poesía y demandan poca estructura en el número de palabras o sílabas. Se recomienda el siguiente formato:

Palabra, nombre del objeto, lugar, etc…

Observación del objeto utilizando uno de los sentidos.

Expresión de algún sentimiento o acción sensible a la palabra inicial.

Observación del objeto utilizando cualquier sentido distinto al usado inicialmente.

Palabra que sea sinónimo a la usada en el primer verso.

EJEMPLO:

Océano.

Inmenso, gigante, azul, verdoso.

Su sonido me transporta a la reflexión.

Ruidoso, suave, agitado.

Cuerpo de Agua.

Instrucciones poema Cinquain (Sankan)

(Tomado de «El *assesment* como medio para la evaluación auténtica del aprendizaje», Prof. Julio E. Rodríguez Torres).

Este tipo de poema es informal. Está organizado en cinco líneas y su función principal es describir un objeto, un fenómeno, un lugar, etc… Formato establecido:

Nombre o sustantivo (lo que se desea describir).

Adjetivos.

Verbos.

Cuatro palabras que expresen sensibilidad o conocimiento del término usado.

Nombre o sustantivo que sirva como sinónimo.

EJEMPLO:

Maestros.

Dedicados, amorosos, creativos.

Trabajan con ahínco, escriben, hablan, enseñan, comparten conocimiento.

Son modelos a seguir.

Educador.

Motivos del corazón

Motivos del corazón
(Clases chicos 12-14 años)

TIEMPO: 1 hora y media.

OBJETIVOS:

- Conocer qué es un motivo.
- Aprender que existen sólo dos motivos como elección suprema: Amor vs. egoísmo.
- Ser conscientes que la salvación radica en el motivo del corazón.
- Examinar la motivación del corazón.
- Escoger a Dios como la motivación que dirige sus vidas.

VOCABULARIO:

- Motivo:

Lo que incita a la acción; lo que determina la decisión o mueve la voluntad. (Diccionario Webster, 1828).
Causa o razón que mueve hacia algo (Diccionario de la Real Academia Española, vigésima segunda edición).

- Corazón:

El asiento de la voluntad; por consiguiente, los propósitos, intenciones y designios secretos (Diccionario Webster, 1828).
Centro de algo. (Diccionario de la Real Academia Española, vigésima segunda edición).

- Amor:

Es la elección fundamental de buscar el bienestar máximo de Dios y del hombre. (El amor: la base de todo, por: J.W. Jepson).

IDEA PRINCIPAL:

► El amor debe ser el motivo supremo por el cual vives.

ESCRITURA BÍBLICA:

► 1 Corintios 4:5: «Por lo tanto, no juzguen ustedes nada antes de tiempo; esperen a que El Señor venga y saque a la luz lo que ahora está en la oscuridad y dé a conocer las intenciones del corazón. Entonces Dios dará a cada uno la alabanza que merezca».

Contenido de la lección

ACTIVIDAD DE INICIO:

Usted necesita los siguientes materiales:

- Una cámara.
- Un micrófono (puede ser fabricado con cartulina y papel).
- Un cartel gigante de la altura de una puerta con el dibujo de un ser humano y una apertura en el medio (puede ser el de un chico o una niña).

Antes de entrar al salón los estudiantes serán parte de un programa de televisión llamado: «Descubriendo al ser humano». Se debe simular que el programa está siendo grabado y televisado. Para esto podría tener personal con una cámara de video, un director del programa y el presentador con su micrófono. Al terminar su diálogo debe dirigir a los estudiantes a pasar por la puerta del salón, la cual estará tapada con un cartel gigante con el dibujo de un ser humano [puede ser el dibujo de un chico o niña]. El cartel debe tener una apertura en el medio de tal forma que los chicos puedan pasar a través de la figura.

Diálogo del presentador: «Bienvenidos chicos. Están sintonizando su programa favorito "Descubriendo al ser humano." Hoy descubriremos una de las partes más importante de todo hombre, de toda mujer, de todo chico y de toda niña sobre la faz de la Tierra. En la actualidad mucha gente da más importancia a lo externo, a cómo te vistes, como juegas, como bailas y qué quieres ser cuando seas grande. Pero para el Creador de todos los seres humanos esto no es lo más importante. Lo de más valor para Él está en el interior de cada uno de nosotros. Por esto hoy vamos a investigar el interior del ser humano. Vamos a descubrir cuál es la causa de todos sus pensamientos, sus emociones y sus acciones. Esta causa determinará su relación con Dios y con las demás criaturas de este planeta. ¡Adentrémonos al mundo interior!».

DESARROLLO:

Usted necesitará:

- Rótulo de las palabras de vocabulario «MOTIVO» y «CORAZÓN» (lámina 15.8).
- Silla adornada como trono.
- Camisa blanca o túnica blanca (para personaje que hará de Jesús en un drama).
- Rótulo «DIOS» (lámina 5.3).

- Rótulo «YO» (lámina 5.4).
- Rótulo «AMOR» (lámina 5.6).
- Rótulo «EGOISMO» (lámina 5 .6).
- Silueta grande de un corazón.
- 3 cajas grandes de cartón pintadas o forradas con papel, cada una de un color distinto. (Cada caja deberá llevar pegado de antemano uno de estos tres rótulos):
  - Rótulo «VOLUNTAD» con el dibujo de unas manos (como el utilizado en la clase del Rey y su Reino). (Ver lámina 15.9).
  - Rótulo «INTELECTO» con el dibujo de un cerebro (como el utilizado en la clase del Rey y su Reino). (Ver lámina 15.10).
  - Rótulo «EMOCIONES» con el dibujo de un corazón (como el utilizado en la clase del Rey y su Reino). (Ver lámina 15.11).
- Papel traslucido color rojo (opcional, se puede utilizar para cubrir una bombilla o una lámpara para que de esta forma el salón quede ambientado con una luz tenue roja).

De ser posible, coloque una luz tenue de color rojo en el salón. En la parte delantera, en el piso, se ubicará la silueta grande de un corazón. Sobre esta silueta se acomodarán tres cajas forradas o pintadas, cada una con su rótulo respectivo [ver listado de materiales]. Encima de las cajas se pondrá la silla decorada como un trono.

Maestro: «Hoy vamos a aprender sobre lo más importante del ser humano; su corazón. De él salen todas sus decisiones. Aprenderemos acerca de los motivos del corazón».

(Mostrar los rótulos de las palabras de vocabulario: «MOTIVO» y «CORAZÓN» [ver láminas 15.8] y pegar en «El muro de las palabras»).

«¿Has escuchado la palabra "motivos"?». (Permitir que los chicos contesten). «Un motivo es una causa o una razón que te mueve o anima a hacer algo. Por ejemplo: Yo tengo hambre, así que me como una fruta. ¿Por qué decidí comerme la fruta? ¿Qué me motivó?» (Permitir que los chicos contesten). «Correcto, el hambre que tenía fue lo que me motivó a comerme la fruta» (Repita la definición de motivo).

«Ahora veamos a qué me refiero cuando hablo del corazón en esta clase. En esta clase, el "corazón" NO se refiere al órgano que tienes en el pecho que bombea sangre. En muchas ocasiones la Biblia utiliza la palabra "corazón" para referirse a tu interior, a aquello que es más importante para Dios. Son esas cualidades que te hacen persona. ¿Recuerdas cuáles son las cualidades que Dios te dio y que te hacen una persona?». (Permitir que los chicos contesten). «Las cualidades de tu interior que te hacen personas son: intelecto, voluntad y emociones». (Haga referencia al corazón y las cajas frente al salón sobre las que está colocado el trono).

En 1 Samuel 16:7 Dios dice: «No te fijes en su apariencia ni en su elevada estatura, pues yo lo he rechazado. No se trata de lo que el hombre ve; pues el hombre se fija en las apariencias, pero yo me fijo en el corazón».

«Lo más importante para Dios no es la marca de tu ropa o cuántos juguetes posees o si eres flaco o alto. Estas cosas son externas. Para Dios lo más importante es tu corazón, o sea tu interior, el centro de lo que eres, el cual está compuesto por tu voluntad, tus emociones y tu mente. ¿Qué más hay dentro de este corazón que tenemos al frente?». (Permita que los chicos contesten). «Vemos un trono. ¿Quién se sienta en un trono?». (Permita que los chicos contesten). «Quien se sienta en el trono es un rey, una persona con poder y autoridad. El rey es quien dirige al pueblo».

«Imagínate que este corazón (haga referencia al corazón que está en el piso) es tu corazón. Este es tu interior, lo más valioso que tienes. El trono representa a quien te gobierna. Es decir, es quien te mueve o motiva a hacer todo lo que haces. En ese trono estará sentado el motivo de tu corazón, la razón por la que haces las cosas». (Divida a los estudiantes en grupos pequeños y reparta los siguientes versículos. Si son más de tres grupos se pueden repetir los versículos. Pídales que lean la porción y señalen cuantas opciones Jesús le da al hombre. Mateo 7:13-14; Mateo 7:15-20; Mateo 7:24-27. Al finalizar discuta las opciones).

«Vemos que en Mateo 7: 13-14 Jesús nos da dos opciones. Podemos escoger entrar por la puerta estrecha o por la puerta ancha. La ancha nos lleva a la perdición, pero la estrecha nos lleva a la vida».

En Mateo 7:15-20 Jesús nos da dos opciones. Podemos escoger ser como un árbol de fruto bueno (acciones buenas) o un árbol de frutos malos (acciones malas)».

«Y en Mateo 7:24-27 Jesús nos vuelve a dar dos opciones. Podemos escoger construir nuestra vida en la arena o en la roca».

«Según la Biblia, sólo tienes dos opciones o motivos a escoger para que se sienten en el trono de tu corazón. ¿Cuáles son esas dos opciones?».

«Puedes decidir vivir tu vida para ti mismo o para DIOS». (Mostrar los rótulos del «DIOS» y «YO» [ver láminas 5.3, 5.4]). Podemos sentarnos nosotros mismos en el trono de nuestros corazones (poner rótulo «YO» en la silla) o podemos dejar que Dios se siente en el trono de nuestros corazones (poner rótulo «DIOS» en la silla).

«Si decidimos que el YO gobierne nuestra vida sentándose en el trono, estaremos viviendo en egoísmo». (Mostrar y pegar el rótulo de «EGOÍSMO» [ver lámina 5.6] en el trono). «Egoísmo es buscar lo mejor para ti mismo sin importar el bienestar de Dios ni de los demás. El que vive egoístamente sólo busca su propia felicidad. Una persona egoísta no ama a Dios ni a sus compañeros. Por ejemplo: Si eres egoísta, no esperas tu turno en la fila para la comida, sino que empujas a tus compañeros para ser el primero en comer. Inclusive puedes cantar o bailar en el grupo de tu iglesia para que otros te vean o para ser feliz. Estas cosas no son malas, pero ¿por qué decimos que están equivocadas? Porque la motivación del corazón es egoísta».

«Pero cuando elegimos vivir para Dios, estamos decidiendo vivir en amor (poner rótulo "AMOR" [ver lámina 5.5] al lado del rótulo "DIOS")».

«¿Recuerdan lo que es el amor? El amor consiste en buscar lo mejor para Dios y para los demás. Es decidir poner a los demás antes que a ti mismo. Por ejemplo: Es hora de almorzar, ¿es amoroso colarme en la fila (ponerme al frente de otros en la fila)? ¿Estoy buscando lo mejor para ellos? Lo más amoroso sería irme a lo último de la fila y con paciencia esperar mi turno. Una persona que vive por el motivo del amor juega o participa en la adoración de la Iglesia porque desea exaltar a Dios en todo lo que hace. No busca su propia felicidad al hacer estas cosas sino la de Dios».

«Tú tienes que elegir cuál de estas dos opciones gobernará tu vida o gobiernas tú mismo en egoísmo o permites que Dios gobierne por amor. Toda persona tiene que tomar una decisión entre el YO o DIOS. Esta decisión se llama elección suprema».

«¿Qué es algo supremo? (Permitir que los chicos contesten). Algo supremo es lo más alto en la vida, lo más importante. La elección suprema en tu vida es elegir que Dios esté sentado en el trono de tu corazón. Esta decisión va a determinar otras decisiones que vayas a tomar más adelante, las cuales llamamos elecciones subordinadas y elecciones ejecutivas. Las elecciones subordinadas son los planes y estrategias que hacemos a largo plazo. Por ejemplo, cuando yo digo: «quiero ser un atleta profesional» o «quiero terminar mi escuela con buenas calificaciones». Por otra parte, las elecciones ejecutivas son aquellas decisiones que tomamos a diario, por ejemplo: ir a las prácticas de mi equipo todas las semanas, ejercitarme, hacer las tareas y estudiar diariamente. Estas decisiones subordinadas y ejecutivas nos muestran quién gobierna en nuestros corazones. La elección suprema determina el motivo por el cual hacemos todas las cosas».

«El fruto de que Jesús gobierne en nuestros corazones es que escogemos el bien. Sin embargo, también podemos hacer cosas buenas, pero con motivos egoístas cuando la elección suprema de nuestro corazón es el yo. Por ejemplo; cuando me esfuerzo por sacar buenas notas o practico para ser un deportista destacado, con la motivación de obtener el reconocimiento de los demás, y no para traer alegría al corazón de Dios».

«¿Por qué tienes que elegir? Porque el trono es individual. ¿Cuántas personas caben sentadas en un trono?». (Permitir que los chicos contesten). «Solo una persona. De igual manera, en tu vida sólo una persona puede gobernar: o tú o Dios». (De ser posible pida a un voluntario que lea Mateo 6:24. Pregúnteles a los chicos qué dice Jesús acerca de a cuántos Señores podemos servir). «En este pasaje Jesús dice que solo podemos servir a un señor. ¿A qué señor estás sirviendo? ¿Quién está dirigiendo tu mente, tus emociones y tu voluntad?».

Drama: *(Para este drama se necesitarán dos personajes y una silla que representara el trono del corazón).*

Chico: (Entra un chico y se sienta en la silla y dice): «Que bien se siente uno al estar en control y hacer lo que yo quiera siempre. Al fin y al cabo se trata de mí, de si soy feliz o no. Mi meta en la vida es ser feliz. Voy a la escuela para ser feliz, tengo amigos para ser feliz, soy cristiano para ser feliz...».

Jesús: (entra el que representa a Jesús). Jesús le hace señas al chico de que se quiere sentar en su silla.

Chico: (El chico, después de un rato, capta el mensaje y dice): «Oh! ¡Claro que sí! Ven y siéntate conmigo». *(El chico le ofrece una esquina de la silla).*

Jesús: (Jesús le hace señas de que no puede, de que quiere la silla).

Chico: (El chico entonces le cede la mitad del asiento y dice): «Está bien, está bien. ¡Te daré toda la mitad de mi silla!».

Jesús: (Jesús lo mira un poco decepcionado y le hace señas de que es toda la silla o nada).

Chico: (El chico se molesta y le grita): «No te voy a dar toda la silla porque eso implicaría que yo me tengo que salir de ella y yo quiero el trono…». *(El chico simula furiosamente como si crucificara a Jesús en la pared).* «¡Solo una persona cabe en la silla!». *(Y se va del salón).*

CIERRE:

Aplicación/Resumen

«Aunque nadie vea la motivación secreta de tu corazón, Dios sí la ve. ¿Por qué haces lo que haces? ¿A quién quieres hacer feliz, a ti mismo o a Dios? Hoy puedes decidir recibir la salvación al escoger vivir para Dios, permitiéndole que sea Él el motivo que gobierne tu vida. Si reconoces que has vivido para ti mismo, pero ahora quieres vivir para Dios, vas a pasar al frente y te vas a arrodillar cerca del trono de Dios». (Dígales a los chicos que repitan la siguiente oración: Señor Dios, reconozco que he traído tristeza a tu corazón al vivir para mí mismo. Me arrepiento ahora, y tomo la elección suprema de vivir para ti, Tú serás mi motivación para hacer todas las cosas).

HOJA DE REGISTRO:

Usted necesitará:

- Lámina de un corazón (ver lámina 1.3).
- Lámina de un trono (ver lámina 15.25).
- Lámina de los bloques con las cualidades de la personalidad (Anexo 32.a).
- Rótulo de «DIOS»/«AMOR» (ver lámina 5.3, 5.5).
- Rótulo de «YO»/«EGOISMO» (ver lámina 5.4, 5.6).
- Pegante.
- Hoja de trabajo «¿Quién está sentado en el trono de mi corazón?» (Anexo 32.a).

Reparta a cada estudiante la hoja de trabajo con los rótulos y las láminas anteriormente mencionadas. Permítales que peguen el corazón, y dentro del corazón los atributos de la personalidad. Pídales que elijan el rótulo de quien ellos han decidido que gobierne su vida y lo peguen sobre el trono. Permita que los chicos escriban la idea principal de la clase: «El amor debe ser el motivo supremo por el cual vives». Una vez terminado, asegúrese de que los estudiantes guarden su trabajo en su carpeta o sobre.

Conciencia limpia

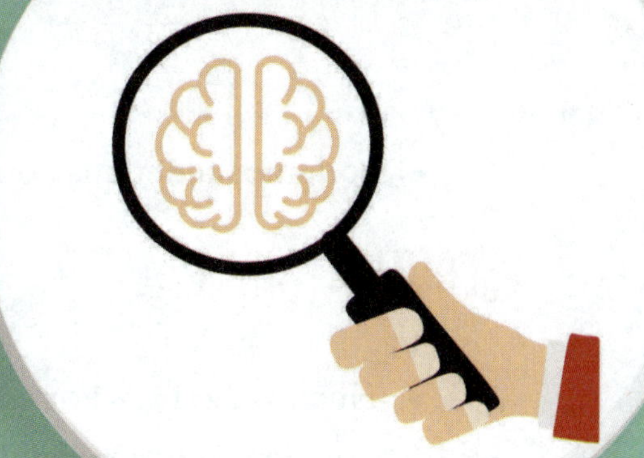

Conciencia limpia y temor de Dios
(Clase chicos 12-14 años)

TIEMPO: 1 hora y 30 minutos.

OBJETIVOS:

- Reconocer qué significa tener «temor de Dios».
- Aprender a cómo mantener una conciencia limpia.
- Entender que la conciencia se ocupa primeramente en determinar nuestro deber, antes de que procedamos a la acción, y después en juzgar nuestras acciones cuando las llevamos a cabo.
- Reconocer que la manera en que alguien cuide su propiedad interior determinará cómo cuidará su propiedad exterior.

VOCABULARIO:

- Conciencia:

Es aquello que aprueba o condena nuestras acciones. (Stephen McDowell).
Es la propiedad interna más sagrada que Dios nos ha dado, porque muestra lo que es recto o equivocado en nuestras acciones.
Es la habilidad dada por Dios para hacernos conocer lo malo y lo bueno; es lo que nos ayuda a hacer el bien por encima del mal.
Facultad moral del Hombre dada por Dios.

- Temor de Dios:

Es aborrecer el mal, odiar el pecado. Obedecer a Dios. Proverbios 8:13 «El temor del SEÑOR es aborrecer el mal».

IDEA PRINCIPAL:

► Podemos tener una conciencia limpia que honre a Dios, si odiamos el pecado.

ESCRITURA BÍBLICA:

► Hechos 24:16. «Por esto, yo también me esfuerzo por conservar siempre una conciencia irreprensible delante de Dios y delante de los hombres».

► Proverbios 8:13 «El temor del SEÑOR es aborrecer el mal».

DESARROLLO:

Contenido de la lección

ACTIVIDAD DE INICIO:

Usted necesitará los siguientes materiales:

- Salón oscuro (apagando las luces o sellando las ventanas con papel: cinta, papel craft).
- 2 linternas pequeñas encendidas en dos esquinas del salón de clase.
- Sirena (que suene y brille de manera intermitente en rojo).
- Pañoleta para tapar los ojos del actor.
- Biblia gigante (hecha en cartón) que tenga escrito el Salmo 16:7 «Bendeciré a Jehová que me aconseja; aún en las noches me enseña mi conciencia».
- Media barra de plastilina blanda para cada chico y una barra de plastilina dura para el maestro.
- Una piedra mediana o pequeña.
- Una bolsa de basura negra llena de papeles. Dentro tendrá un pañal con chocolate untado (simulando popó).
- Radio para poner música romántica.
- Vaso de vidrio.
- Jarra con agua.
- Gotero con desinfectante con el rótulo «Pecado».
- Gotero con lejía (clorox) con el rótulo «Arrepentimiento».
- Maleta.
- Láminas:
- Una profesora (ver lámina CL1).
- Un cerebro (ver lámina CL2).
- Una boca (ver lámina CL3).
- Unas manos (ver lámina CL4).
- Ropa.
- Un reloj.

INICIO: (10 min).

Drama: El salón de clase estará oscuro. Se hace sonar y brillar la sirena. Entra alguien disfrazada de niña, quien va tropezando con todo porque tiene una venda en sus ojos.

Chica: «¿Qué pasa conmigo? ¡No veo! ¿Por qué todo está tan oscuro?».

Entra otro personaje y dice: «¡Despierten! ¿No oyen? ¡Es la alarma despertadora! ¡Despierten! ¡Abran sus ojos! ¡Enciendan la luz de sus corazones! ¡Despierten!».

Chica «¡Estoy cansada de la oscuridad! ¡Quiero ver!¡Dios, sácame de mi oscuridad!, ¿Por qué no escucho la alarma? ¡Despiértame! ¡Alúmbrame con tu palabra!».

La chica cae de rodillas llorando. Se encienden las luces y se le caen sus vendas. (Debe existir una cuerda de la cual la chica pueda tirar para poder hacer que la venda se desamarre y se caiga). La luz roja no deja de brillar aunque la alarma suena más suave. La chica ve a sus pies una Biblia abierta en el Salmo 16:7 que dice «Bendeciré a Jehová que me aconseja; aún en las noches me enseña mi conciencia». Lo lee en voz alta y dice: esta es la alarma despertadora, mi conciencia. La chica sale saltando sin tropezarse y se queda sentada entre los chicos como para recibir la clase.

DESARROLLO: (1 hora).

Al terminar el drama el maestro le preguntará a los chicos: ¿Qué le pasaba a la niña? No podía ver. ¿Por qué no veía y se tropezaba con todo? Porque tenía una venda en sus ojos. ¿Qué le pasó a la chica cuando oró a Dios? Se le cayeron las vendas. ¿Cuál era la alarma despertadora? Su conciencia.

INTRODUCCIÓN:

«En la clase anterior hablamos de los motivos del corazón. La motivación del corazón, es aquello por lo cual haces lo que haces. Dios debe ser nuestra motivación y la razón por la cual hacemos todo. Si la motivación de tu corazón es traer alegría al corazón de Dios, hay dos cosas que van a ocurrir»:

1. Dios te va a ayudar a mantener tu conciencia limpia.

2. Su temor va a estar sobre ti para que le obedezcas y odies el pecado.

CONCIENCIA

«Ahora, ¿qué es la conciencia?» (Sonará la alarma por unos segundos). «Presten atención a este drama para que puedan ver lo que es la conciencia».

Drama: *Entrará un chico* «Mmm, estas son las galletas que mamá hizo ayer. Ella me dijo que sólo podía comerlas después del almuerzo. Dentro de poco voy a comer, ¿qué tal si sólo me como una? ¡Es lo mismo!». (Se escuchará la voz de alguien hablando, será la conciencia).

Conciencia: «¡No lo hagas! El comértelas antes del almuerzo no es lo que mamá dijo; si lo haces estarías desobedeciendo».

Chico: «Pero... Pero... Pero... Ah, no importa. Sí es lo mismo, sea antes o después, me las voy a terminar comiendo. Para no sentirme mal, me voy a comer sólo una. (Se come una galleta, y después otra y luego otra...) ¡Mmm, deliciosas!... ¿Qué horas son? ¡Ah, ya mismo es la hora del almuerzo! En realidad ya no tengo hambre, estoy lleno por las galletas. ¿Qué le voy a decir a mamá? ¿Le diré que no quiero comer? No quiero que se sienta mal, ella ha estado horas preparando el almuerzo... ¿Qué le diré?».

Conciencia: «Estuviste mal al no escucharme. Estas son las consecuencias de no obedecer la voz de tu conciencia».

Mamá (entra): «Cariño, ven a comer que ya está listo el almuerzo».

Conciencia: «Sabes que debes decirle la verdad a tu mamá».

Chico: «Mamá, espera… La verdad es que no tengo hambre porque me comí las galletas que me dijiste que no comiera.

Mamá: «¿Ves? Por eso precisamente te dije que no te las comieras hasta después del almuerzo, porque se quitaría el hambre para comer algo saludable».

Chico: «Sí, me di cuenta después que lo hice, perdóname».

Mamá: «Bueno, te perdono, y gracias por decirme la verdad y no mentirme».

Conciencia: «¿Lo ves? ¿Ves que es mejor hacer lo correcto?».

Chico: «Ahora me siento tranquilo. La vocecita que escucho me dice que lo hice bien».

Mamá: «Esa vocecita que escuchas es la conciencia, debemos obedecerla siempre. Ambos se abrazan y salen del salón».

Maestro: «¿Pudieron ver lo que es la conciencia?».

Explicar y hacer referencia al drama, a medida que se mencionen las siguientes definiciones: La conciencia es esa voz interna que te dice lo qué está bien y que está mal. La conciencia es como una balanza que pesa nuestro conocimiento y nuestras acciones. Si sabemos que algo está mal y lo hacemos, no habrá balance. Si sabemos que algo está bien y no lo hacemos, tampoco habrá balance. Cuando hay desbalance, se activa la alarma. Es el regalo más valioso que Dios nos dio.

Funciones de la conciencia:

- Nos anima; antes de hacer algo bueno.
- Nos confirma; cuando hicimos lo correcto.
- Nos advierte; antes de hacer lo malo.
- Nos acusa; cuando hicimos algo que estuvo mal.

Estados de la conciencia:

«Nuestra conciencia puede estar como una de estas dos cosas: Mostrar una masa de plastilina dura y un pedazo de plastilina blanda».

Repartir media barrita de plastilina blanda a cada chico. Pedir que la moldeen en forma de círculo o cuadrado. Decir: Esta plastilina representa una conciencia limpia. Esta conciencia está despierta, eso quiere decir que la persona hace lo bueno y obedece su conciencia. Cuando la conciencia está blanda, Dios nos puede dar forma a nosotros, así como podemos darle forma a esta plastilina.

«Ahora, cuando no obedecemos nuestras conciencias, en vez de estar blanda, se pone así de dura». (Mostrar la barra de plastilina dura). «Cuando la conciencia está dura, es difícil trabajar con ella, ya que no podemos darle forma. Si seguimos desobedeciendo nuestras conciencias, se va poniendo más dura». (Mostrar la roca y pasarla a algunos para que la toquen). «Así, Dios no nos podrá dar forma porque tenemos nuestras conciencias endurecidas. Podemos saber que nuestra conciencia está dura como esta piedra, cuando nos sentimos bien haciendo lo malo. Cuando desobedecemos nuestra conciencia y seguimos tranquilos sin ningún sentido de culpa».

Ejemplos:

«Cogemos algo que no es de nosotros (robamos), y seguimos como si nada, lo vemos normal porque todos nuestros amigos lo hacen».

«Desobedecemos a nuestras autoridades (padres, maestros en la escuela) y no sentimos tristeza».

«No pedimos perdón a nuestros compañeros por los daños que hemos hecho».

«Ahora que entendemos lo que es la conciencia y cómo funciona. Vamos a hablar sobre el temor a Dios».

TEMOR DE DIOS

Drama: Se pone música romántica de fondo. Entra una persona abrazando una bolsa de basura. (La bolsa de basura tendrá papeles dentro y un pañal con chocolate untado, simulando popó). La persona se comporta como si estuviera enamorado de la bolsa, al punto de darle un beso. Luego de abrirla poco a poco, saca con brusquedad los papeles de la bolsa y mete su cabeza dentro. Cuando sale, tiene el pañal en su mano.

Lo destapa y se lo muestra a los chicos (parecerá popó). Coge un poco en su dedo, se lo come, y muestra que le gustó mucho. Entonces coge más y se pasa el pañal por la cara desesperadamente, untándose del popó (chocolate). Se ve como si lo hubiera disfrutado. Luego sale del salón.

Maestro: «¡Qué desagradable es esto! ¿Cómo es posible que alguien pueda querer embarrarse con basura? Eso es asqueroso. ¡Es horrible! Así de horrible es cuando pecamos; así mismo estamos embarrando nuestro corazón. ¿Por qué pecamos entonces? 1. Porque en el corazón reina el egoísmo y no el amor. 2. Porque no tenemos el temor de Dios para odiar el pecado, para resistirlo y para obedecer a Dios».

La chica se levanta y dice: «Yo me siento muy mal, yo soy como esa persona. Necesito que Dios me limpie porque mis actitudes no han sido las correctas y he dejado de escuchar mi conciencia. ¿Qué puedo hacer para volver a escucharla?».

Maestro: «Pues siéntate, que te voy a explicar a ti y a los chicos, lo que podemos hacer para limpiar nuestras conciencias y hacer que vuelvan a funcionar. Primero les mostraré un experimento que nos ayudará a comprender esto mucho mejor».

Experimento: «En un vaso de vidrio que representa al ser humano, se vierte agua representando la conciencia como la habilidad dada por Dios para alertarnos». (Luego se toma un gotero que contiene desinfectante rotulado como «Pecado» y se vierten varias gotas en el agua, describiendo algunos pecados específicos (pelear, mentir, decir malas palabras, no ayudar a la gente, no compartir).

Maestro: «Esto mismo sucede cuando el Temor de Dios no está en nuestras vidas; amamos el pecado y no vamos a Dios para que nos limpie». Cuando el agua esté oscura, se les preguntará a los chicos: «¿Creen que hay alguna solución?». (Dejar que respondan). Entonces se muestra el gotero que contiene límpido (clorox) rotulado como «Temor de Dios». Se introducen varias gotas representando nuestro arrepentimiento. Explicar que el temor de Dios produce arrepentimiento, y esto nos ayuda a ir a Dios para ser limpios.

Maestro: «El temor de Dios nos permite limpiar nuestras conciencias».

Chica: «¡Ah, ya comprendo! Yo quiero tener el temor de Dios en mí, pero ¿qué exactamente es el Temor de Dios?».

¿QUÉ ES EL TEMOR DE DIOS?

Maestro: «La Biblia dice que el temor de Dios es aborrecer el mal. O sea, el temor de Dios es odiar el pecado. Cuando odiamos algo, ¿vamos a querer hacerlo? ¡No! Si realmente odiamos el pecado, decidimos no ser egoístas, no ser orgullosos, no decir groserías, no hacer cosas malas. El temor de Dios es amar tanto a Dios, que decidimos no hacer lo que no le agrada. Solo podremos limpiar nuestras conciencias, cuando tengamos el temor de Dios. Necesitamos arrepentirnos, cambiar de dirección para no seguirnos contaminando con el pecado. El temor de Dios es obedecerle. Para que sea obediencia, tiene que ser inmediata, completa y con gozo».

Ejemplos:

- Si mamá me ordena a hacer las tareas de la escuela, y yo las hago al rato, no fui obediente.
- La obediencia es inmediata, sino es desobediencia.
- Si mamá me manda a organizar el cuarto, y yo sólo ordeno la cama y coloco todos los zapatos debajo del escritorio para que no se vean, ¿fui obediente? No, porque la obediencia es completa.
- Si mamá me manda a botar la basura, y yo lo hago de mala gana y quejándome, no es obediencia. La obediencia tiene que ser con gozo, sino es desobediencia.

ÁREAS EN QUE NECESITO EL TEMOR DE DIOS

Se sacará una maleta que contiene láminas que representarán cada área.

Maestro: «Veamos en qué áreas necesitamos desarrollar el temor de Dios: El temor al hombre». (Sacar la figura de una profesora): «Tener temor al hombre es cuando nos importa más lo que otros piensen de nosotros (compañeros, maestros, padres), que lo que Dios puede pensar».

Pensamientos (sacar un cerebro): «Dios desea que nuestros pensamientos sean puros y limpios, como los de Él».

Palabras (sacar una boca): «Nuestras palabras deben reflejar a Dios. De nuestra boca no debe salir: queja, chisme, críticas, palabras groseras, etc».

Acciones (sacar unas manos): «Lo que hacemos debe ser lo que nuestras conciencias aprueben».

Vestimenta (sacar ropa): «Debemos mostrar a Dios en cómo nos vestimos».

Tiempo (sacar un reloj): «Necesitamos el temor de Dios en cómo usamos nuestro tiempo».

CIERRE: (10-15 min) Resumen:

La conciencia es esa voz interna que nos aprueba si hacemos las cosas bien, y nos condena si hacemos las cosas mal.

Podemos tener una conciencia limpia que honre a Dios, si obedecemos lo que nos dice.

El temor de Dios es odiar el pecado.

La obediencia es inmediata, completa y con gozo.

AUTOEVALUACIÓN:

«¿Hemos desobedecido nuestra conciencia? ¿Hemos hecho cosas malas haciendo que se vuelva dura? Necesitamos venir a Dios en arrepentimiento para que Él nos limpie y vuelva a hacer funcionar nuestras conciencias. ¿Cuántos quieren limpiar sus conciencias?».

Volver a hacer y explicar el experimento con desinfectaante y lejía. Hemos pecado y ensuciado nuestro corazón, pero si nos arrepentimos (decidir no volverlo a hacer), Dios nos perdona y limpia.

Hacer una oración dirigida:

- ▸ Pedir perdón por desobedecer la conciencia.
- ▸ Tomar la decisión de no volverlo a hacer.
- ▸ Pedirle a Dios que restaure nuestras conciencias.
- ▸ Hacer el compromiso de obedecerla a partir de ese día.
- ▸ Volver a mostrar el vaso con el agua limpia. Recordarles que ahora estamos limpios porque Dios nos perdonó y limpió.

Nuevamente sonará la alarma. «Nuestras conciencias ahora están despiertas, y cuando suene en ciertas situaciones, las vamos a obedecer».

Pasar a la mesa: (5-10 min)

En una hoja dibujarán en qué áreas de sus vidas deben tener el temor de Dios para mantener sus conciencias limpias.

El maestro les recordará las áreas: Pensamientos, palabras, acciones, tiempo, vestimenta, etc.

Nombre: ____

Fecha: ___________________________________

«Para mantener mi conciencia limpia, debo tener el temor de Dios en las siguientes áreas de mi vida»:
- ▸ Proverbios 8:13 «El temor de Dios es aborrecer el mal...».

CIERRE: Temor de Dios

Alarma encendida y sonando

HOJA DE REGISTRO:

Dar a cada chico su hoja de trabajo y crayolas, para que dibujen en qué áreas de sus vidas deben tener el temor de Dios para mantener sus conciencias limpias.

Alabanza y Adoración

LECCIÓN 6

Alabanza y adoración

(Todas las edades)

TIEMPO: 2 horas.

OBJETIVOS:

- ► Distinguir la diferencia entre alabanza y adoración.
- ► Revivir la experiencia de alabanza y adoración según el tabernáculo del Antiguo Testamento.
- ► Tener un encuentro íntimo con Dios.

VOCABULARIO:

- ► Alabar:

Es elogiar, celebrar con palabras, celebrar con cánticos, bendecir, engrandecer, ensalzar, exaltar, glorificar, loar, magnificar, pregonar, regalar, celebrar.

- ► Adorar:

Es reverenciar un ser que se considera divino, honrar, querer a algo o alguien extremadamente; amor muy profundo o admiración extrema.

BASE BÍBLICA:

- ► Éxodo 25-27, Mateo 27: 50-51: «Jesús lanzó otro fuerte grito, y murió. En aquel momento, la cortina del templo se partió en dos, de arriba abajo, la tierra tembló y las rocas se partieron».

Contenido de la lección

Preparación antes de la clase:

Antes de comenzar la clase es importante que el maestro o su ayudante preparen las estaciones

por donde van a pasar todos los chicos: 1) el lugar donde se quema la ofrenda, 2) el lavatorio, 3) el lugar de adoración, 4) el lugar santo, 5) el lugar santísimo.

Usted necesitará:

* Un envase resistente al fuego (puede ser una olla o recipiente de metal) (ver lámina 6.1).
* Un envase o recipiente con agua (ver lámina 6.2).
* Un extintor de fuego (en caso de emergencia).
* Gasolina o líquido inflamable y fósforos.
* Equipo de sonido con CD (mp3, iPod) con música de alabanza y adoración (si es posible, hagan una banda de músicos en vivo).
* Una cortina que separe el lugar santo del lugar santísimo.
* Una tijera (para cortar la cortina).
* El arca del pacto para el lugar santísimo (ver lámina 6.3).

ACTVIDAD DE INICIO:

Usted necesitará:

* Power Point y Proyector o láminas.
* Lámina de un auto (ver lámina 6.4).
* Lámina de un pan tostado (ver lámina 6.5).

Maestro (al comenzar la clase): «Es importante que todos estemos "concentrados" porque la meta en este momento es: encontrarnos con Dios». (En este momento pueden hacer una oración implorando al Espíritu Santo).

Haciendo uso de un Power Point o de las láminas, el maestro mostrará la foto de un automóvil y preguntará: «¿Cuál es el propósito de tener este auto?». (Dejar que los chicos respondan). «El propósito es transportarnos. ¿Cómo sabemos esto?». (Dejar que los chicos respondan.) «Cuando miramos el auto vemos que tiene asientos y un motor. Esto le permite a una persona manejar el auto para transportarse. El sólo diseño del auto nos revela para qué fue creado. Pero, ¿a quién debo preguntar cómo funciona?». (Dejar que los chicos respondan). Debo consultar a la persona que diseñó el auto.

«Cuando adquirimos un auto nuevo este viene con un manual de instrucciones que explica el diseño del automóvil y cómo funciona. Pero, ¿qué sucedería si este auto pudiera decidir que no va a transportarme? ¿Qué pasaría si el auto decidiera que es una tostadora de pan?». (Dejar que los chicos respondan). «No funcionaría porque el auto no fue diseñado para tostar pan sino para transportar gente. De la misma manera, nosotros fuimos creados para adorar y alabar a Dios. Cuando no adoramos a Dios, es como cuando el carro quiere tostar pan. ¡Es absurdo!».

DESARROLLO:

Usted necesitará:

a. Rótulo con la palabra alabar (ver lámina 6.6).

b. Rótulo con la palabra adorar (ver lámina 6.7).

c. Lámina del tabernáculo con la presencia de Dios en forma de nube (ver lámina 6.8).

d. Lámina del sumo sacerdote (ver lámina 6.9).

e. Lámina del área de sacrificio (ver lámina 6.10).

f. Lámina del altar de sacrificio (ver lámina 6.11).

g. Lámina de los atrios (ver lámina 6.12).

h. Lámina del lugar santo (ver lámina 6.13).

i. Lámina del lugar santísimo (lámina 6.14).

j. Ovejas dibujadas en papel 5" x 5" (ver anexo 6.a Unidad de proyectos).

Hacer uso del Power Point o de las láminas que tengan la palabra «Alabar» y «Adorar» con sus definiciones. [Ver lámina 6.6, 6.7]. Adorar y alabar son dos cosas distintas. La palabra alabar significa elogiar, celebrar con palabras: bendecir -celebrar con cánticos - concelebrar - engrandecer-ensalzar - exaltar - glorificar - loar - magnificar - pregonar - regalar. Adorar es reverenciar un ser que se considera divino, honrarlo, querer a algo o alguien extremadamente. Es un Amor muy profundo o admiración extrema.

«En el Antiguo Testamento vemos que Dios estableció principios para que su pueblo pudiera alabarle y adorarle. Ahora vamos a revivir esos principios y le vamos a pedir a Dios que nos muestre su voluntad para adorarlo. ¿Cómo podemos hacer esto? Cuando el pueblo de Israel vivía en el desierto, Dios estableció el tabernáculo». (Mostrar el Power Point o láminas a color del tabernáculo [lámina 6.8]). «Así era en el tabernáculo donde la presencia de Dios bajaba y habitaba en medio de su pueblo. (Mostrar lámina a color donde se ve la presencia de Dios en medio del tabernáculo [lámina 6.8]). El tabernáculo era el lugar donde iba una persona cuando pecaba contra de Dios. Esta persona debía llevar una ofrenda en señal de arrepentimiento, y allí la sacrificaba como símbolo de expiación de su pecado. La ley que Dios estableció en ese tiempo decía que si tú pecabas, tenías que llevar una oveja para sacrificarla como sustituto por tu pecado. El encargado del sacrificio era el Sumo Sacerdote (mostrar lámina de sumo sacerdote [lámina 6.9]). El sumo sacerdote tenía una vestimenta especial con 12 piedras preciosas en el pecho que significaban las 12 tribus de Israel, y en su frente tenía un rótulo que decía «Santidad a Dios». Después que el Sumo Sacerdote recibía la ofrenda, iban al área del sacrificio (mostrar lámina del área del sacrificio [lámina 6.10]). Era allí donde la persona pecadora debía tomar la oveja y confesar sus pecados al sumo sacerdote. Él degollaba la oveja con la seguridad de que "la paga del pecado es la muerte"».

«Luego la oveja muerta era llevada al altar del sacrificio donde se quemaba como sacrificio por los pecados (mostrar lámina del altar de sacrificio [lámina 6.11]). Luego pasaban al área donde se encontraba un envase de bronce (mostrar lámina del envase de bronce [lámina 6.11]). En este lugar el sumo sacerdote se limpiaba la sangre del sacrificio y se aseguraba de estar sin mancha, es decir, totalmente limpio, ya que la sangre del sacrificio significa pecado. Después pasaban a los atrios (mostrar lámina de los atrios [lámina 6.12]) donde estaban los cantores con sus instrumentos. Juntos alababan a Dios por el perdón de los pecados, exaltándolo y bendiciéndolo».

«Después el sumo sacerdote pasaba al lugar santo (mostrar lámina del lugar santo [lámina 6.13]). En este lugar había tres cosas simbólicas: La mesa del pan (significa que Dios es nuestro sustento), el altar del incienso (representa las oraciones de los santos), y la Menorá que era el candelabro de los 7 brazos (significando los 7 días de la creación). El candelabro debía estar siempre encendido como símbolo de la presencia de Dios en nuestras vidas».

«Lugar santísimo donde estaba la presencia misma de Dios. Ahí se encontraba el arca del pacto, la vara de Aarón, el maná y las tablas de los 10 mandamientos». (Mostrar Lámina del lugar santísimo [lámina 6.14).

Actividad:

Ahora el maestro dice: «Como nuestra meta es poder ver a Dios en este momento, es claro que no podemos verle si hay pecado en nuestros corazones. Por eso, cada uno de nosotros va a recibir una oveja de papel, y vamos a orar pidiéndole a Dios que traiga a nuestra mente los pecados que hemos cometido. Dígale al chico que los escriba». (De no saber escribir, que los dibuje) en la oveja de papel. «Nadie va a mirar tu oveja. Eso es sólo entre TÚ y DIOS». (Cada estudiante recibe un dibujo de una oveja pequeña, puede medir 5" x 5" o 15 cm por 15cm).

El maestro debe orar en voz alta y dar tiempo para que los chicos escuchen la voz de Dios y escriban (dibujen) lo que Dios traiga a su mente. Una vez terminen, el maestro lleva al grupo a la primera estación que es el altar del sacrificio).

ALTAR DEL SACRIFICIO

(En esta área el maestro estará al lado del envase de fuego y todo el grupo estará frente a él, formando un semicírculo). *El maestro dirá:* «En este momento debe haber total silencio porque vamos a arrepentirnos de nuestros pecados. Ahora vamos a encender un fuego, y si tú estás verdaderamente arrepentido, vas a tirar tu ovejita en el fuego como símbolo de que no quieres volver a pecar. Es tu decisión, nadie te va a forzar». (Una vez haya explicado esto, el maestro colocará gasolina o líquido inflamable en el envase y prenderá el fuego. ¡Atención! Deben tener un extintor de fuegos en caso de emergencia. Los chicos que sean muy pequeños deben entregarle a su líder las ovejitas de papel para que ellos las echen al fuego.)

ENVASE DE BRONCE (LAVATORIO)

(En esta área el maestro se coloca al lado del envase con agua mientras todo el grupo se colocará frente a él, en forma de semicírculo).

El maestro dirá: «El agua que ustedes ven frente a ustedes representa el perdón de parte de Dios. Vamos a pasar uno a uno, y cuando laves tus manos debes dar gracias a Dios en tu mente y en tu corazón, porque gracias a Él y a Jesús nuestros pecados fueron perdonados. (Los chicos pasarán uno a uno y lavarán sus manos. Una vez terminen este proceso pasan a la próxima estación).

ÁREA DE LOS ATRIOS

Cuando entren los chicos debe haber un grupo de adoración listo con sus instrumentos. Una persona adulta ó grupo de adoración estará lista para liderar la alabanza. Este es un tiempo para celebrar el perdón. Pueden cantar canciones conocidas o usar CD's, ó mp3, iPod. *El maestro dirá:* «En este momento vamos a dar gracias a Dios por el perdón de nuestros pecados. Es tiempo de alabar a Dios y bendecirle porque ha sido bueno». (Una vez terminen la alabanza pasan a la próxima estación).

ÁREA DEL LUGAR SANTO y LUGAR SANTÍSIMO

Los chicos entran al lugar donde hay una cortina grande, la cual los separa del lugar santísimo. En este lugar van a tener un tiempo de adoración. La música debe inspirar la presencia de Dios. Después de un tiempo de adoración el maestro leerá Hebreos 4:16. Y dirá: Gracias al sacrificio de Jesús tenemos libre acceso a la presencia de Dios. El maestro les invita a pasar al lugar santísimo. Este tiempo debe ser un momento especial para que los chicos entren a la presencia de Dios. Es importante que los líderes y adultos estén listos para ministrar a los chicos.

CIERRE:

Al finalizar esta actividad es muy importante escuchar a los chicos para ver qué les habló Dios. Para esto puede dividirlos en grupos pequeños y/o tener un tiempo de compartir con el grupo general.

Familia

Esfera de la Familia
(Clases chicos 12-14 años)

Color de la esfera de la familia: Anaranjado.

TIEMPO: 1 hora 30 min.

OBJETIVOS:

- ► Aprender el propósito de Dios para la familia.
- ► Repasar lo que es el amor.
- ► Comprender que la familia se fundamenta en un pacto.
- ► Distinguir los roles del hombre, la mujer y los hijos dentro de la familia.
- ► Examinar si están viviendo su rol como hijos dentro de la familia.

VOCABULARIO:

- ► Amor:

Es benevolencia o buena disposición, que consiste en elegir el bien supremo de Dios y de los demás. (Basado en la Teología Sistemática, Capítulo 8, Charles Finney).

- ► Familia:

La familia es simplemente un hombre y una mujer, quienes han hecho un pacto de juntos cumplir la voluntad de Dios, de ser fructíferos y bendecir el mundo. (Liberando las Naciones Stephen Mc Dowell).

- ► Pacto:

Consentimiento mutuo o acuerdo de dos o mas personas, de hacer o dejar de hacer algún acto u objeto; un contrato; estipulación.

IDEA PRINCIPAL:

▶ La familia muestra el amor de Dios.

ESCRITURA BÍBLICA:

▶ Efesios 5:25: «Esposos, amen a sus esposas como Cristo amó a la iglesia y dio su vida por ella».

▶ Efesios 5:22-23: «Las esposas deben estar sujetas a sus esposos como al Señor. Porque el esposo es cabeza de la esposa, como Cristo es cabeza de la iglesia, la cual es su cuerpo; y él es también su Salvador».

▶ Efesios 6:1-3: «Hijos, obedezcan a sus padres como agrada al Señor, porque esto es justo. El primer mandamiento que contiene una promesa es este: «Honra a tu padre y a tu madre, para que seas feliz y vivas una larga vida en la tierra».

Contenido de la lección

ACTIVIDAD DE INICIO:

Usted necesitará:

Maestro: «¡Buenos días! De hoy en adelante comenzaremos a descubrir las diferentes esferas o áreas de transformación de la sociedad que surgen de Dios como respuesta al mandato que Dios nos dejó en Génesis de gobernar toda la Tierra. Ustedes las vieron algunas de estas áreas en el drama de bienvenida. Abre tu corazón para que puedas escuchar el llamado que Dios te hace a trabajar en una o varias de estas esferas de la sociedad». (Comience con una oración entregando el corazón de cada chico en las manos de Dios para que les dé entendimiento de cómo pueden ser chicos que comiencen a transformar cada una de estas áreas de la sociedad).

Drama:

El maestro escogerá a cinco chicos voluntarios de la clase (cuatro varones y una mujer). Tres de ellos representaran a la Trinidad; uno será Dios Padre, otro Dios Hijo, otro el Espíritu Santo. El otro será Adán y la mujer será Eva. Ellos no hablarán, sino que actuarán según el maestro vaya narrando la historia. (El maestro debe animar a los chicos para que actúen de acuerdo a lo que están escuchando. Es ideal que el maestro cuente la historia de memoria).

Maestro: «Buenos días. Hoy les contaré la historia más grande de Amor».

«Desde la eternidad, Dios Padre, Dios Hijo y Dios Espíritu Santo vivían juntos en unidad. Cada uno tenía tareas y responsabilidades únicas, pero aunque tenían distintas funciones, ellos escogieron ser uno en pensamiento y compartir las mismas metas. Ellos se amaban, se cuidaban y siempre buscaban lo mejor el uno para el otro. Entre ellos no existía egoísmo, porque siempre decidían ayudar al otro y buscaban como bendecirse y alegrarse mutuamente».

En un momento dado, el Padre pensó: «¿No sería extraordinario si creáramos otros seres similares a nosotros, que pudieran ser parte de esta hermosa relación y experimentar la felicidad que nosotros experimentamos? Eso traería tanta alegría a mi Hijo y al Espíritu Santo…».

Al mismo tiempo el Hijo pensó: «El Padre se goza y se deleita en dar a otros. Si tan solo hubiera otras personas con las que él pudiera pasar tiempo y darse a conocer a ellos…».

También el Espíritu Santo se decía a sí mismo: «Si hubiera una forma en que pudiera ayudar a cumplir los anhelos del Padre y del Hijo, creando otros seres que los pudieran amar con todo el corazón, yo Les ayudaría a conocer el corazón de Dios, así como su voluntad».

Así que los tres dijeron: «Hagamos al Hombre. Hagamos a muchos seres que puedan vivir en comunidad, así como nosotros. Seres con la capacidad de amar y de decidir cada día buscar lo que es mejor para el otro ¡así como nosotros lo hacemos!».

«Entonces Dios se postró en la tierra, tomó un poco de barro y comenzó a darle forma. Sus manos se ensuciaron, pero aun así continuó trabajando en los detalles de esta nueva creación: el hombre. Luego de haberlo moldeado, Dios sopló sobre el hombre aliento de vida. Entonces el hombre abrió sus ojos y tuvo frente a frente a su Creador mirándolo con amor».

«Dios decidió entonces hacer a la mujer para que el hombre viviera en comunidad y para que pudiera amar y ser amado. Así que Dios durmió al hombre y de su costilla creó a Eva. ¡Qué hermosa creación! ¡Dios creó la familia! Entonces Dios les dijo que trabajaran, que se multiplicaran, y que llenaran toda la Tierra. Dios quería que se sirvieran, se bendijeran y que siempre se amaran, para reflejarnos quién es El».

DESARROLLO:

Usted necesitará:

* Rótulo de la palabra de vocabulario «AMOR» (ver lámina 7.2).
* Rótulo de la palabra de vocabulario «FAMILIA» (ver lámina 7.1).
* Lámina de un hombre (ver lámina 7.3).
* Lámina de una mujer (ver lámina 7.4).
* Lámina de unos anillos de matrimonio (ver lámina 7.5).
* Lámina de una corona (ver lámina 7.6).
* Lámina de los hijos (ver lámina 7.7).
* Lámina del mundo (ver lámina 7.8).
* Lámina de la Trinidad (ver lámina 15.12).
* Lámina de la familia (ver lámina15.13).
* Tres bolsitas de arena de colores (Cada bolsita debe ser de un color distinto. También se puede utilizar gelatina de colores).
* Una copa de cristal.
* Rótulos de las palabras:
* Protege (ver lámina 15.14).
* Enseña (ver lámina 15.15).
* Disciplina (ver lámina 15.16).
* Provee (ver lámina 15.17).
    ► Nutre (ver lámina 15.18).
    ► Cuida (ver lámina 15.19).

- ▸ Trae belleza (ver lámina 15.20).
- ▸ Ayuda a papá (ver lámina 15.21).
- ▸ Obedece (ver lámina 15.22).
- Un pote o tarro de Nutella.
- Bananos (uno por cada dos chicos).
- Cuchillos plásticos (uno para cada niña).
- Una bandeja.
- Guantes para manipular alimentos (un par para cada participante).
- Servilletas.

Maestro: «La razón por la que la Trinidad puede permanecer en esa perfecta unidad es porque ellos deciden vivir en amor». (pegar rótulo de la palabra de vocabulario «AMOR» [ver lámina 7.2]).

«¿Qué es amor? Amor es la decisión de buscar el bienestar máximo (buscar lo que es mejor) para Dios y luego para los demás. El amor no piensa en buscar lo que es mejor para nosotros mismos sino para las personas que nos rodean. Cuando nacemos, las primeras personas que nos rodean son nuestra familia, y es allí donde Dios quiso que primeramente se reflejara ese amor y servicio del uno al otro».

«Hoy vamos a aprender sobre la familia». (Pegar rótulo de la palabra de vocabulario «FAMILIA» [ver lámina 7.1]).

«¿Qué es la familia?». (permitir que los chicos respondan).

«La familia se forma cuando un hombre (pegar lámina de un hombre [ver lámina 7.3]) y una mujer (pegar lámina de una mujer [ver lámina 7.4]), que luego llegan a ser papá y mamá(pegar lámina de los hijos [ver lámina 7.7]) se comprometen en un pacto de no separarse (pegar lámina de los anillos [ver lámina 7.5]); y así juntos cumplir la voluntad de Dios (pegar lámina de una corona encima de las láminas del hombre y la mujer [ver lámina 7.6]), para ser fructíferos y bendecir al mundo (pegar lámina del mundo [ver lámina 7.8])».

«Esta definición también nos dice que el hombre y la mujer hacen un pacto cuando se casan. ¿Sabes lo que es un pacto? Un pacto es un consentimiento de dos o más personas o un acuerdo de hacer algo. La familia es una relación de pacto, de un acuerdo mutuo para hacer la voluntad de Dios juntos y amarse para toda la vida».

«Cuando los hijos nacen, automáticamente pasan a ser parte de este pacto que un día mamá y papá hicieron de amarse y hacer la voluntad de Dios».

«¿Sabes qué es lo que mantiene la unidad y el pacto en una familia? Es el amor. La razón por la que una familia puede vivir en unidad es por el amor».

«Notemos que la voluntad de Dios es que seamos fructíferos y que bendigamos al mundo. Esto es muy importante porque la familia no sólo busca amarse sino servir y ser de beneficio para la sociedad».

«Entonces, ¿de dónde viene la familia? El modelo perfecto de una familia es la Trinidad: Padre, Hijo y Espíritu Santo».

«Cuando hablamos de la Trinidad, estamos hablando de un sólo Dios, compuesto por tres personas. Estamos hablando de tres seres iguales en valor, pero con funciones diferentes que viven en perfecta unidad (pegar letrero de la Trinidad en algún sitio visible [ver lámina 15.12])».

«El Padre es el originador, la fuente; el Hijo es el mediador, el medio a través de quien ocurre lo que el Padre origina; y el Espíritu Santo es el ejecutor, el efecto por quien ocurre. Padre, Hijo y Espíritu Santo son igualmente Dios, y sin embargo, tienen funciones diferentes en su relación divina y en su relación con el hombre. Ellos revelan el principio de unidad y diversidad que encontramos también en la familia. Papá y Mamá son iguales en valor, pero diferentes en su diseño y sus funciones».

Actividad:

Pedir a tres voluntarios que pasen al frente. Dé a cada voluntario una de las arenas de color. Permita que cada uno derrame un poco de su arena en el envase de cristal, uno a la vez. Cuando a cada uno le quede poca arena de color, dígales que echen la arena restante todos a la vez. Al final debe quedar el jarrón bellamente decorado por los patrones de las diferentes arenas, todas unidas en el recipiente.

Maestro: «Estas arenas están en este envase. Podemos decir que están unidas así como Dios Padre, Hijo y Espíritu Santo están en unidad. Pero aunque hay unidad, vemos que no todas las arenas son iguales, cada arena mantiene su color. Así mismo es la Trinidad. Ellos están unidos, por eso sabemos que son un solo Dios, pero cada uno mantiene sus funciones. Así mismo es la familia (pegar el letrero de la familia al lado del letrero de la Trinidad [lámina 15.13]). Dios creó a la familia para que vivieran en amor, así como la Trinidad vive en amor».

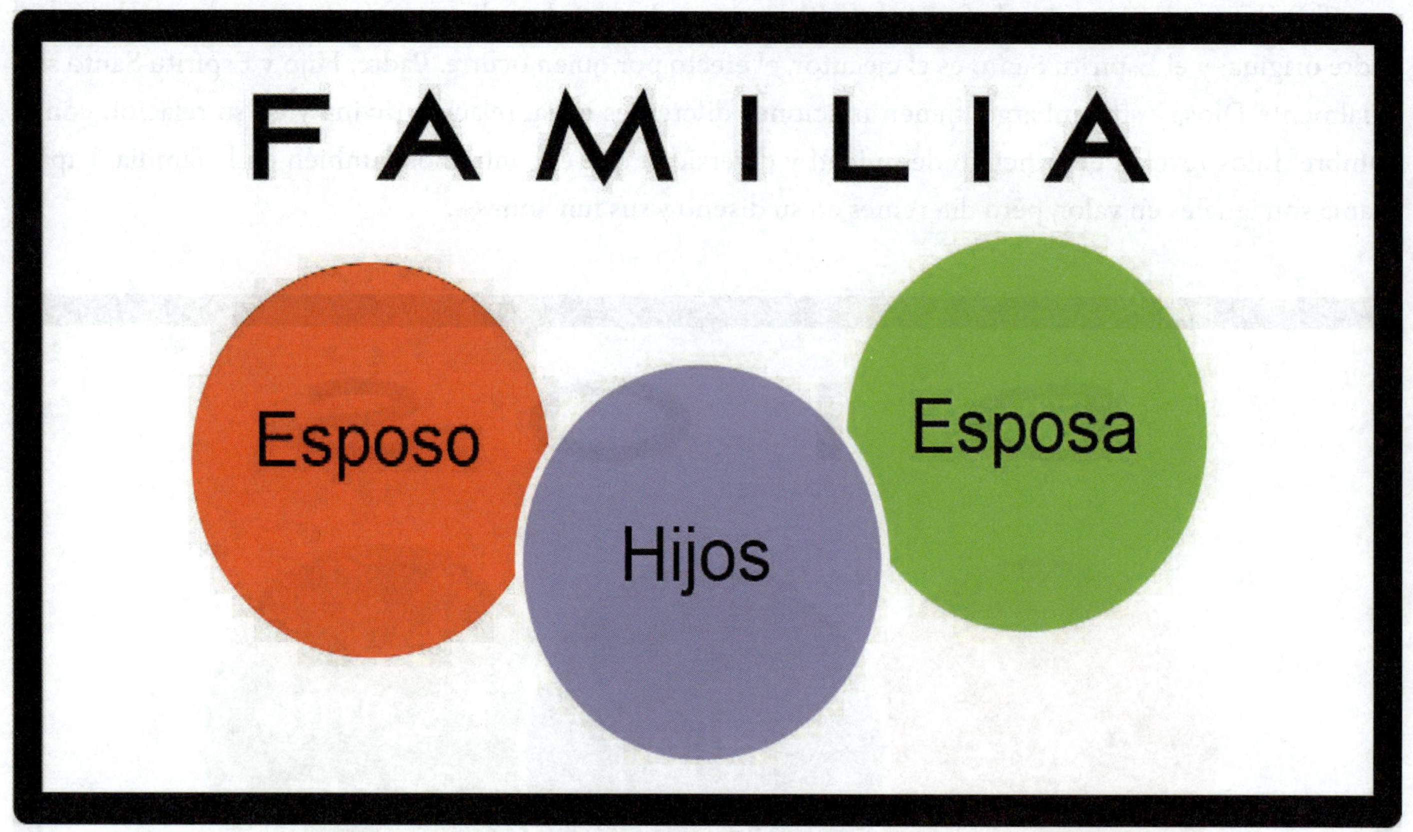

«Cada miembro de la familia es igual en valor delante de Dios pero con diferentes funciones. Nuestra cultura nos dice que el valor de cada persona en la familia es diferente. Por un lado, se ha levantado el machismo donde el hombre es más valioso que la mujer. Por el otro lado se ha levantado el feminismo, donde la mujer busca ser de igual o mayor valor que el hombre. Ambas ideas dicen que el valor del hombre es mayor que el de la mujer y por eso la mujer necesita ser como el hombre para ser alguien importante. Pero la verdad es que Dios creó tanto al hombre como a la mujer con el mismo valor, pues están hechos a su imagen y semejanza, aunque les dio diferentes funciones para que formaran lo que es la familia y mostraran su carácter. Cada miembro de la familia ama a los demás cuando cumple sus roles dados por Dios»:

- **Hombre:** En la familia el rol del hombre se divide en dos partes: esposo, y luego padre.

  ▶ **Esposo:** tiene el deber de amar a su esposa, proveer para ella, protegerla, velar por su vida espiritual y lleva la responsabilidad por las decisiones que se toman en el hogar. (El maestro lee con ellos Efesios 5:25 y dará un tiempo para que los chicos subrayen de color naranja el versículo en sus biblias y llenen la leyenda).

  ▶ **Papá:** El papá debe mostrar el corazón paternal de Dios. Él hace esto al dar instrucciones, al diciplinarnos, al mostrar su afecto, al proveer. También nos instruye acerca del Reino de Dios. Papá también es el que nos protege, nos defiende de cualquier cosa mala que nos pueda pasar. (Pegar los rótulos «protege», «enseña», «disciplina», «provee» [ver láminas 15.14 al 15.17] al lado de la lámina del hombre previamente colocada en la explicación de la definición de familia).

Actividad:

Se ubicarán los chicos en parejas donde las niñas llevarán los ojos vendados y los varones las guiarán por el salón, evitando que tropiecen. Luego de la dinámica debemos preguntarle a una pareja de chicos cómo fue la experiencia. Explicar que el hombre es el que dirige la familia buscando protegerla de cualquier daño.

- **Mujer:** De igual manera que el hombre, la mujer también tiene dos responsabilidades: ser esposa y madre.

    ▸ **Esposa:** Tiene la responsabilidad de ser ayuda al hombre en las tareas que Dios le delegó, respetándolo como autoridad del hogar, pero en sometimiento mutuo. (El maestro lee con ellos Efesios 5:22-23 y dará un tiempo para que los chicos subrayen de color naranja el versículo en sus biblias y llenen la leyenda).

    ▸ **Mamá:** La mamá debe mostrar el corazón maternal de Dios. Ella hace esto al gestar en su vientre la vida, al tener compasión de nosotros, al cuidarnos, al nutrirnos (esto es promover el crecimiento, dar educación e instruir), al traer belleza; haciendo del hogar un lugar de paz y descanso; y al ayudar a papá en sus tareas para la edificación del hogar. (Pegar los rótulos: «nutre», «cuida», «trae belleza» «ayuda a papá» [ver Láminas 15.18 al 15-20] al lado de la lámina de la mujer previamente colocada en la explicación de la definición de familia).

Actividad:

Se les entregarán a las niñas algunos bananos y un tarro de Nutella. Ellas serán las responsables de preparar una bandeja creativa utilizando ambos ingredientes. Una vez finalizada compartirán la bandeja con la clase.

(Se les pregunta a los varones) «¿Qué se siente al ser servido de un plato que ha sido preparado de una manera cuidadosa, creativa y agradable, tanto a la vista como al paladar, a diferencia de recibir un simple banano?». (permitir que los chicos respondan).

«La mujer es la persona que toma cuidado del hogar y busca no solamente nutrirnos sino traer belleza por medio de una atmósfera agradable y cálida, donde los integrantes del hogar puedan sentir paz y descanso».

- **Hijos:** Los hijos mostramos nuestro amor cuando honramos y obedecemos a papá y mamá.

(El maestro lee con ellos Efesios 6:1-3 y dará un tiempo para que los chicos subrayen de color naranja el versículo en sus biblias y llenen la leyenda). Pegar el rotulo: «Obedece» [ver lámina 15.22] al lado de la lámina de los hijos previamente colocada en la explicación de la definición de familia).

Maestro: «¿Cuándo obedecemos a mamá y papá? Cuando limpiamos el cuarto o botamos la basura, etc. Cuando Jesús estuvo aquí en la Tierra siempre buscó honrar a sus padres».

«Cuando cada miembro cumple su rol, se están mostrando amor entre ellos mismos, pero también con su ejemplo muestran lo que es el amor a otros. De igual forma la familia debe mostrar el amor de Dios sirviendo a su comunidad. Algunas maneras en que las familias pueden mostrar el amor de Dios a su comunidad son: repartiendo alimentos a los pobres y desamparados, visitando a los ancianos y enfermos, recogiendo la basura, invitando personas a cenar a su casa y hasta adoptando chicos huérfanos».

CIERRE:

Aplicación/ Resumen

«Hoy hemos hablando acerca de la Familia ¿Alguien recuerda lo que es la familia?». (Permitir que los chicos contesten).

«La familia nace cuando un hombre y una mujer (esposo y esposa) han hecho un pacto de

vivir para cumplir la voluntad de Dios para ellos, de ser fructíferos y bendecir al mundo. Las familias se mantienen unidas en Amor. Amor es buscar lo mejor para Dios y para otros». (Repetir esta definición con los chicos varias veces, puede incorporar movimientos corporales para cada palabra de la definición). «Así que la familia revela el amor de Dios cuando todos sus miembros, esposo, esposa, y nosotros los hijos, buscamos lo que es mejor para Dios y luego para otros».

«Ahora cada uno de nosotros vamos a pensar si hemos estado cumpliendo con nuestro deber como hijos, amando a las personas a nuestro alrededor, en especial a los miembros de nuestra familia. Luego vamos a hacer una oración pidiéndole perdón a Dios y diciéndole que nos ayude a reflejar su amor siempre. Quizás también te des cuenta que necesitas el amor de un padre y una madre. Hoy es una oportunidad de pedirle al Señor que se muestre como ese padre y madre amorosos». (Ore con los chicos. Recuerde orar también para que Dios llame a algunos de ellos a impactar esta área de la sociedad).

HOJA DE REGISTRO:

Usted necesitará:

- Hoja de registro de familia (ver Anexo 32.a).
- Lápices o bolígrafos.

Entregue la hoja de trabajo a cada chico. Permita que los chicos creen una historia escribiendo el dialogo dentro de la tirilla cómica en blanco. Esta debe de tratar acerca de lo que aprendieron de la familia. Recomendamos las **canciones interpretadas por John Ray Morales: «Mi legado; El Corazón de la Cosecha».** **Las pueden adquirir en iTunes.**

Video: «Hecho para ti» en YouTube

Gobierno

Eesfera de Gobierno

(Clases chicos 12-14 años)

Color de la esfera de gobierno: Morado (Violeta).

TIEMPO: 1 hora 30 min.

OBJETIVOS:

- ▸ Definir lo que es Gobierno.
- ▸ Promover el autogobierno.
- ▸ Aprender el propósito de Dios para el Gobierno civil.
- ▸ Conocer los inicios del Gobierno civil relatado en la Biblia.
- ▸ Entender lo que es la justicia.

VOCABULARIO:

- ▸ Justicia:

Cumplir y administrar la ley; virtud que consiste en dar a cada persona lo que se merece o lo que es debido. (Diccionario Webster, 1828).
Una de las cuatro virtudes cardinales, que inclina a dar a cada uno lo que le corresponde o pertenece. (Diccionario de la Real Academia Española, vigésima segunda edición).

- ▸ Gobierno:

El flujo de poder o el ejercicio de la autoridad que regula, dirige, controla o restringe. (Diccionario Webster, 1828).
La fuente de toda autoridad, ley y gobierno está fundamentada en Dios y definida en Su palabra. (Dra. Youmans, Material AMO).

IDEA PRINCIPAL:

- ► El Gobierno muestra la justicia de Dios.

ESCRITURA BÍBLICA:

- ► Romanos 13:2-4: «Así que quien se opone a la autoridad, va en contra de lo que Dios ha ordenado. Y los que se oponen serán castigados; porque los gobernantes no están para causar miedo a los que hacen lo bueno, sino a los que hacen lo malo. ¿Quieres vivir sin miedo a la autoridad? Pues pórtate bien, y la autoridad te aprobará. Porque está al servicio de Dios para tu bien. Pero si te portas mal, entonces sí debes tener miedo; porque no en vano la autoridad lleva la espada, ya que está al servicio de Dios para dar su merecido al que hace lo malo».
- ► Proverbios 12:2: «Al que es bondadoso Dios le muestra su bondad, pero al que es tramposo Dios le da su merecido».

Contenido de la lección

ACTIVIDAD DE INICIO:

El maestro discutirá lo sucedido en el proyecto de gobierno, haciendo las siguientes preguntas claves a los estudiantes:

- ¿Cómo fue su experiencia en el gobierno del que fueron parte?
- ¿Qué fue lo bueno y lo malo en su gobierno?

Luego que compartan su experiencia, el maestro dirá: Hoy vamos a estudiar el gobierno de Dios y como quiere que nosotros gobernemos.

DESARROLLO:

Usted necesitará:

- Rótulo de la palabra del vocabulario «JUSTICIA» (ver lámina 8.2).
- Rótulo de la palabra del vocabulario «GOBIERNO» (ver lámina 8.1).
- Un silbato.
- Un chocolate pequeño para cada chico.
- Mapa de su país (usted deberá conseguir un dibujo o una lámina con el mapa de su país).
- Mapa del estado o departamento dónde usted vive en su país (usted deberá conseguir un dibujo o una lámina con el mapa de este estado o departamento).
- Mapa o foto de su ciudad (usted deberá conseguir una lámina con el mapa o una foto de su ciudad).
- Lámina de una familia (anexo 7.c ver Unidad de proyectos).
- Lámina de un individuo (ver lámina 7.3).

- Lámina de una Biblia (ver lámina 15.23).

- Telas, sabanas o túnicas para drama (opcional).

- Una balanza (ver lámina 15.24 para instrucciones).

- Dos pelotas pequeñas blancas rotuladas con la palabra «BIEN» (Las pelotas pueden ser de ping-pong o poliestireno expandido (foamy). Estas deberán ser más pesadas que las rotuladas con la palabra «MAL»).

- Dos pelotas pequeñas negras rotuladas con la palabra «MAL» Estas deberán ser más pesadas que las rotuladas con la palabra «BIEN»).

- Lámina de un corazón (ver lámina 1.3).

- Lámina de una boca (ver lámina CL4).

- Lámina de unas manos (ver lámina 1.7).

- Imagen de un corazón, una boca y unas manos para cada chico (usar lámina 1.3, CL 1.7).

«Dios es el Rey de reyes. Esto quiere decir que Él es la mayor autoridad en todo el universo. Pero Dios es un Rey muy bueno y justo. Él gobierna con justicia. Como aprendimos en la clase del Rey y su Reino, la justicia es una de las cualidades del carácter de Dios. La justicia consiste en dar a cada quien lo que se merece». (Pegar rótulo de la palabra de vocabulario «JUSTICIA» en «El mural de las palabras» [ver lámina 8.2]).

«La Biblia dice que "al que es bondadoso, Dios le muestra su bondad, pero al que es tramposo, Dios le da su merecido" (Proverbios 12:2, Traducción en Lenguaje Actual)». (Permita que los chicos subrayen el versículo en sus biblias).

«Nosotros podemos pensar en la justicia como una balanza (mostrar la balanza). El equilibrio de esta balanza representa la justicia. Si la acción es buena (mostrar una pelota blanca que diga "BIEN" y ponerla sobre un plato de la balanza), las consecuencias serán buenas (mostrar una pelota blanca que diga "BIEN" y ponerla sobre el otro plato de la balanza). Pero si la acción es mala (mostrar una pelota negra que diga "MAL" y ponerla sobre un plato de la balanza), las consecuencias serán malas (mostrar una pelota negra que diga "MAL" y ponerla sobre el otro plato de la balanza). La consecuencia corresponde a la acción».

«Como la balanza, la justicia no puede estar desequilibrada. Por eso Dios en su gran amor dejó todas sus leyes perfectas y justas que promueven el bien de otros y el nuestro. Están escritas en su Palabra (la Biblia), para que al cumplir estas leyes tengamos buenas consecuencias».

Maestro: «¿Qué saben o han escuchado acerca de qué es el Gobierno?». (Permitir que los chicos respondan). «Gobierno es la autoridad o poder que dirige, controla, restringe o regula la comunidad. Esto es posible por medio de las leyes. Dios quiere que todos seamos justos, obedeciendo sus leyes. Una ley es una advertencia para no hacer lo malo; y así como este pito nos advierte (Haga sonar el silbato), la ley de Dios lo hace también. Pero necesitamosescucharla bien. Dios como juez nunca nos dará consecuencias sin leyes, porque Él es justo y siempre da a cada persona lo que se merece».

«Dios revela su justicia en el área del Gobierno». (Pídale a un chico o una chica que peque en «El mural de las palabras» la palabra de vocabulario «GOBIERNO» [ver láminas 8.1).

«Lo más importante de aprender es que todo gobierno comienza en el corazón humano, con la capacidad de dominarnos a nosotros mismos y de controlar nuestras emociones. A esto es lo que se le llama autogobierno. Por ejemplo, cuando queremos pegarle una patada a un amiguito, pero nos controlamos y no lo hacemos, estamos practicando el autogobierno».

Actividad:

Repártale a cada chico un pedazo pequeño de chocolate para que lo coloque en su lengua con la boca abierta, deles la instrucción de que no podrán comérselo hasta que suene el silbato. Toque el pito antes de que el chocolate se derrita completamente. Para esta actividad coloque una música de fondo alegre. Usted debe animarlos a no vivir por sus emociones y a resistir el deseo de comerse el chocolate. Una vez terminada la actividad puede preguntarles a los chicos: «¿Cómo fue su experiencia? ¿Cómo pudieron controlar su deseo de comerse el chocolate?».

Maestro: «Dios es justo y bueno porque nos ha capacitado para controlar nuestras emociones, como dice Proverbios 16:32: «Más vale ser paciente que valiente; más vale dominarse a sí mismo que conquistar ciudades».

«Un hombre de Holanda llamado Hugo Grotius dijo que: "Una persona no puede gobernar un país (mostrar el mapa de su país; ej. Colombia) si no puede gobernar un estado (Departamento) (mostrar el mapa de su estado-departamento; ej. Cundinamarca-Colombia), ni puede gobernar un estado, si no puede gobernar una ciudad (mostrar la foto de su ciudad; ej. Bogotá-Colombia), ni puede gobernar una ciudad, si no puede gobernar (cuidar o dirigir) su familia (mostrar imagen de una familia [ver lámina 15.13]), ni puede gobernar su familia si no se sabe dominar a sí mismo (autogobierno) (mostrar imagen de un individuo [ver lámina 7.3]). Tampoco se podrá autogobernar si no se deja gobernar por Dios (mostrar imagen de una Biblia [ver lámina 15.23])"». (Repita esta frase hasta que los chicos la entiendan).

«Como vemos, hay gobierno en el individuo, en la familia, en las ciudades y en las naciones. Pero Dios quiere que primero nos gobernemos a nosotros mismos para que así podamos gobernar bien nuestras familias y luego formar un buen Gobierno civil en nuestras ciudades y naciones».

«El Gobierno civil es la autoridad que se encarga de controlar las malas actitudes de la gente, de prohibir los malos comportamientos y de dirigir a las personas a través de normas y leyes. El gobierno viene de Dios y de su justicia. Por eso, para que un Gobierno sea bueno tiene que ser justo, dándole a cada quien lo que se merece, así como Dios es justo».

«Ahora ya sabemos que el gobierno es el poder que ayuda a la gente a controlar las malas actitudes, prohibiendo los malos comportamientos y dando a cada quien lo que se merece según su comportamiento».

«La Biblia nos enseña que el Gobierno civil representado por los policías, soldados y reyes, comenzó cuando el pueblo no estaba controlando sus emociones; o sea, no se estaba autogobernando. Por eso tuvieron que usar su autoridad para dar consecuencias por la desobediencia de las leyes. Eso es lo que pasa cuando no nos autogobernamos y no queremos que Dios nos gobierne. El Gobierno civil tiene que crear más y más leyes para controlarnos. Si no nos autogobernamos bajo la ley de Dios, vamos a tener un gobernante tirano que nos controle en todo lo que hagamos. Así todo será decidido por el Gobierno. Otra cosa que podría suceder si no nos autogobernamos es la anarquía, cuando cada persona hace como bien le parece, eliminando todo tipo de ley y autoridad. Imagínate como sería sin leyes que te protejan; todos robarían, tendrían la música muy alta hasta bien tarde en la noche sin dejarnos dormir, y todo sería un desastre».

«La solución para la tiranía y la anarquía es el autogobierno cristiano que da como resultado un buen Gobierno civil. La historia de Moisés nos habla de cuando se creó el Gobierno civil y cómo Dios deseaba que fuera ese gobierno». (Muestre a los chicos que la historia se encuentra en Deuteronomio 1:9-17 y Éxodo 18:13-27. Permítales que coloreen el versículo de color morado y que llenen la leyenda).

«Vamos a ver que sucedió con Moisés y el pueblo de Israel». (Dos ayudantes se disfrazarán de Jetro y Moisés, y dramatizarán la historia a medida que se vaya narrando. También puede pedir la ayuda de algunos chicos voluntarios para dramatizar el pueblo).

Narración: «Un día, el suegro de Moisés, Jetro, fue a visitar a Moisés a su casa, y cuando Jetro vio que Moisés estaba solo gobernando todo ese pueblo, le dijo a Moisés que buscara dentro de cada grupo de familia algunos hombres que tuvieran buen carácter: sabios, que fueran expertos en liderar, que amaran la verdad y que temieran a Dios. Entonces Moisés le dijo al pueblo que escogieran entre ellos líderes con estas cualidades. El pueblo le dijo a Moisés que lo harían. Moisés les dijo que estos líderes tenían que juzgar con imparcialidad al pueblo, o sea, a todos por igual, no importando si eran de Israel o no, o si eran pobres o ricos. El pueblo estuvo de acuerdo, Jetro abrazó a Moisés y así comenzó el Gobierno civil».

Maestro: «Según esta historia, ¿quién escogía los gobernantes? (Permitir que los chicos contesten). El Pueblo era el que los escogía. ¿Cómo debían ser estos gobernantes que el pueblo tenía que escoger? ¿Acaso era cualquier clase de persona?». (Permitir que los chicos contesten). «Según la palabra de Dios, los gobernantes debían ser personas con firme carácter, o sea, sabios (mostrar una silueta de un corazón [ver lámina 3.2]) que fueran expertos en liderar, que amaran la verdad (mostrar una silueta de una boca [ver lámina CL3]) y que temieran a Dios». (mostrar una silueta de unas manos [Ver lámina 1.7]). «Estas son cualidades muy importantes para ser gobernantes justos. En este gobierno se iban a tomar en cuenta a todas las familias o tribus del pueblo, y no solamente un pequeño grupo o las más grandes e importantes. El gobierno debía ser imparcial, en otras palabras, no debía tener preferencia con nadie». (Entregar a cada estudiante un set de estas figuras para que escriban sobre ellas su significado [ver anexo 33.b]. Deles cinco minutos para esta actividad).

Maestro: «Esta fue una idea justa de Dios para proteger la vida, la libertad y la propiedad de todas las personas. Si actuaban mal recibirían su castigo, pero si actuaban bien recibían buenas consecuencias, porque el Gobierno está para hacer justicia y dar a cada quien lo que se merece, así como Dios mismo lo hace».

CIERRE:

Aplicación/Resumen

Usted necesitará:

«Hoy hemos aprendido que el gobierno revela la justicia de Dios, cuando sus leyes promueven el dar a cada quien lo que se merece según sus acciones. También está para proteger al bueno y castigar al malo. Aprendimos que el gobierno empieza en el corazón y que tenemos que autogobernarnos por la Palabra de Dios. Si no tenemos autogobierno, van a tener que darnos muchas normas de comportamiento y tendremos menos libertad». (Tomar la balanza y mostrarla a los estudiantes). «También aprendimos que la justicia es como una balanza que da a cada cual lo que se merece».

«El gobierno comienza en el corazón. Como aprendimos, el gobierno revela la justicia de Dios. Pero, aplicándolo a tu vida, ¿Has vivido para hacer justicia, para dar a cada uno lo que se merece? Cuando un amigo se roba un examen o se copia de su compañero y tú lo ves, ¿haces justicia cuando le informas a tu autoridad (padres o maestros) lo que ha sucedido?».

«¿Eres un chico o chica que se controla a sí mismo, que hace lo bueno y correcto, aunque tus papás o maestros no te estén viendo?». (Lleve a los chicos a meditar en sus acciones de desobediencia, pues estas revelan que no son autogobernados. Luego haga una oración con los chicos para que se arrepientan de la injusticia y le pidan a Dios que los ayude a autogobernarse. Pídale a Dios que llame a algunos de los chicos presentes para servir en esta área del Gobierno).

HOJA DE REGISTRO:

Usted necesitará:

- Hoja de trabajo de Gobierno (Anexo 33.c).
- Lápices de colores.

El maestro entregará la hoja de trabajo (ver anexo 33.c) que contiene dos tareas: dibujar el Gobierno civil que refleja la justicia de Dios y definir Gobierno y Justicia.

Educación

Educación
(Clases chicos 12-14 años)

Color de la esfera de la educación: Marrón.

TIEMPO: 1 hora 30 min.

OBJETIVOS:

- ► Aprender el propósito de Dios para la educación.
- ► Entender lo que es la sabiduría.
- ► Reconocer la Palabra de Dios como la base de toda buena educación.
- ► Conocer que los padres son los encargados principales de la educación.
- ► Aprender los pasos básicos para el aprendizaje.

VOCABULARIO:

- ► Educación:

Comprende toda serie de instrucciones y disciplinas que intentan alumbrar el entendimiento, corregir el temperamento, formar los hábitos de la juventud y capacitarlo para cumplir con las demás funciones en el futuro. (Diccionario Webster 1828).

- ► Sabiduría:

La capacidad de ser sabio; el ejercicio y uso correcto del conocimiento; discernimiento; el uso de los mejores medios para lograr los mejores resultados. (Diccionario Webster 1828).
El conocimiento que el amor usa para producir lo que es bueno. (Charles Finney).

IDEA PRINCIPAL:

> ► La educación nos muestra la sabiduría de Dios.

ESCRITURA BÍBLICA:

> ► 2 Timoteo 3:16-17: «Todo lo que está escrito en la Biblia es el mensaje de Dios, y es útil para enseñar a la gente, para ayudarla y corregirla, y para mostrarle cómo debe vivir. De ese modo, los servidores de Dios estarán completamente entrenados y preparados para hacer el bien».

Contenido de la lección

ACTIVIDAD DE INICIO:

Usted necesitará:

- Una tela o sábana blanca para decorar el salón como un estudio de televisión.
- Luces o iluminación de diferentes colores para ambientar el salón como un estudio de televisión.
- Crear letrero que diga ¿Quién es el más sabio?
- Radio o sonido.
- Música movida.
- Vestuario para personajes del drama.

El salón de clases estará decorado como un estudio de televisión. Habrá un presentador dirigiendo el programa televisivo (el presentador debe ser activo, dinámico, y debe motivar al grupo). Él se encargará de presentar a dos personas que serán entrevistadas para descubrir que tan sabias son. El programa comenzará con una música movida:

Presentador: «Muy buenos días amigos televidentes. Hoy estaremos entrevistando a dos personas para ver ¡qué tan sabios son! Primero demos un fuerte aplauso para Eliú». (Entra Eliú con una actitud egoísta y orgullosa mirando a todos como inferiores a él. Este personaje estará vestido lo más lujosamente posible con traje negro, con lentes negros, bien peinado; pero a la vez tiene que parecer intelectual, empresario).

Eliú: «¡Buenas, buenas!».

Presentador: «Cuéntanos Eliú, ¿Quién eres?, ¿A qué te dedicas?, ¿Cuáles son tus logros y aspiraciones?».

Eliú: «Bueno, actualmente fui considerado por la revista Time como una de las mentes más privilegiadas. Tengo una carrera profesional en ingeniería en sistemas, una maestría en negocios internacionales y un doctorado en sistemas computarizados. Soy el fundador de una de las compañías más prominentes de juegos tecnológicos llamada «Death Tech» (Tecnología mortal), la cual se dedica a crear videojuegos».

Presentador: «¿Qué tipo de contenido tienen estos videojuegos?».

Eliú: «Bueno, son juegos de guerras, artes marciales, técnicas de tortura, supervivencia en contra de zombis, cómo progresar en el bajo mundo utilizando drogas, engaño, y narcotráfico entre otros…».

Presentador: «Y esto ¿qué bien hace a nuestro país, si promociona, asesinatos, robo, corrupción, y clandestinidad? ¿Usted se considera sabio?».

Eliú: «Bueno, no sé si le haga bien al país, pero a mí me deja mucho dinero…y en realidad, a la juventud le gusta».

Presentador: (Con cara de impresionado y aterrorizado) «Bueno, llamemos a nuestro próximo participante Félix». (Entra Félix saludando el público con actitud humilde, vestido de manera decente pero bien presentado).

Presentador: «Bueno Félix, cuéntanos ¿Quién eres?, ¿A qué te dedicas?, ¿Cuáles son tus logros y aspiraciones?».

Félix: «Pues yo he sido músico toda mi vida. Cuando era chico, mis padres me regalaron una guitarra y desde ahí desarrollé un amor por la música. Esto me llevó a comenzar una carrera como profesor de música. Luego me dediqué a comenzar una escuela de música donde enseño a chicos con discapacidad física. Esta música ayuda a las señoras embarazadas a estar tranquilas y es de beneficio para el desarrollo auditivo del bebé mientras está en el vientre».

Presentador: «¡Impresionante! La pregunta que le hacemos ahora al público es ¿quién de estos hombres es más sabio? En nuestro próximo programa estaremos discutiendo más sobre este tema, pero ahora tenemos que culminar por falta de tiempo. Muchas gracias por sintonizarnos. Hasta la próxima oportunidad».

DESARROLLO:

Usted necesitará:

- Rótulo de la palabra de vocabulario «SABIDURÍA» (ver lámina 9.3).
- Ecuación de la sabiduría: (Cada palabra de la ecuación estará representada con un dibujo. Un bombillo o cerebro + un corazón = una perla dentro de una ostra):
    - ▸ Lámina de una bombilla (ver lámina 15.27).
    - ▸ Lámina de un corazón (ver lámina 1.3).
    - ▸ Lámina de un signo de suma (ver lámina 15.28).
    - ▸ Lámina de un signo de igual (ver lámina 15.29).
    - ▸ Lámina de una perla dentro de una ostra (ver lámina 15.30).
- Rótulo de la palabra de vocabulario «EDUCACIÓN» (ver lámina 9.2).

Actividad de los hermanos Wright:

Opción A: (presentar video de los hermanos Wright):

- ▸ Una computadora.
- ▸ Proyector o televisor (con todos los cables necesarios para conectarlo a la computadora).
- ▸ Bocinas.
- ▸ Video: Los sabios- Los Hermanos Wright 1/2 y 2/2 (descargado previamente de YouTube).
- Enlace:
- http://www.youtube.com/watch?v=eU9S0IdP5Oo
- http://www.youtube.com/watch?v=o3xlYllKag0&feature=related

Opción B: (Leer historia y mostrar láminas de los hermanos Wright).

> ► Historia con las láminas de los hermanos Wright (Anexo 34.a).

- Galletas dulces con un poco de miel por encima (una por chico, preferiblemente que sean de vainilla).
- Dos cajas de cartón.
- Una hoja de papel en forma de cuadrado.
- Un objeto que no tenga utilidad (puede ser cualquier objeto).
- Hoja de instrucciones para hacer figura de origen (Anexo 34.b).
- 4 libros.

Maestro «Después de ver este programa, ¿cuál de estos dos participantes piensan que es más sabio y por qué?». (Permita que los chicos respondan). «Félix era el más sabio de los dos porque él utilizaba el conocimiento que tenía para buscar un bien para los demás y no para su propio beneficio. ¿Recuerdan ustedes lo que es la sabiduría y de dónde proviene?». (Permitir que los chicos contesten). La sabiduría es cuando aplicamos lo que conocemos con amor (el maestro mostrará y pegará la palabra del vocabulario «SABIDURÍA» en «El mural de las palabras» [ver lámina 9.3]). «Eres sabio cuando usas el conocimiento que tienes para ayudar y servir a los demás. La sabiduría viene de Dios. Él ha decidido utilizar todo lo que sabe para hacer lo que es bueno. Esto es lo que Dios ha hecho desde el principio, usar su gran inteligencia para hacer el bien mayor y lo más amoroso. Él ha decidido ser sabio usando todo lo que sabe para hacer siempre cosas buenas. Por ejemplo, Dios, al crear la familia, la hizo de tal manera que cuando un bebé nace puede tener unos padres que lo amen, le den todo lo que necesita y lo protejan. Imagínate un bebé sin padres. Dios es Sabio, ¿no crees? ¿Qué otra cosa podemos pensar en donde Dios utilizó su conocimiento perfecto para buscar el bien?». (Permitir que los chicos piensen y luego respondan).

«La Creación es otro ejemplo de cómo Dios es sabio porque usó toda su inteligencia para hacer la tierra con animales, árboles, ríos y montañas, para que nosotros pudiéramos vivir bien, alimentarnos y trabajar ¡qué sabio es Dios!».

«Como ven, la sabiduría no trata de tener mucho conocimiento sino de aplicar (utilizar) el conocimiento para hacer cosas buenas como Dios lo hace. (Repase la definición de sabiduría utilizando la ecuación: conocimiento + amor = sabiduría [ver láminas 9.1)».

«La palabra de Dios dice que la sabiduría es mejor que una perla preciosa. En la ecuación hemos representado la sabiduría con una perla. Pero más valiosa que una perla es la sabiduría. Para que una perla se forme requiere de mucho trabajo, dolor y tiempo. De igual forma se necesita de mucho esfuerzo, trabajo y tiempo para convertirnos en personas sabias. ¿Saben, chicos? Así como Dios es sabio, nosotros también podemos ser sabios. Les voy a contar un poco acerca de unos hermanos que utilizaron la sabiduría para hacer el bien. Ellos se llamaban los hermanos Wright. ¿Quiénes eran estos hombres y qué fue lo que hicieron?». (*Plan A.* Presentar un video corto sobre la historia y los logros de los hermanos Wright [Ver enlace en la lista de materiales] *Plan B.* Mostrar láminas de los hermanos Wright y sus logros mientras se relata una breve biografía [ver anexo 34.b]).

Maestro: «¿Quiénes fueron los hermanos Wright? ¿Cuál fue su gran logro? ¿Cómo esto ha traído un beneficio a nuestra sociedad?». (Permitir que los chicos contesten). «Vemos que los hermanos Wright fueron dos hombres que utilizaron su conocimiento y su inteligencia para traer un bien a nuestro mundo. Gracias a ellos podemos llegar a otros países de una manera más rápida y segura. ¿Cómo? Hoy día el trasporte aéreo es mucho mejor que todos».

Maestro: «¿Saben cuál fue la explicación de su padre acerca del invento de sus hijos?». (permitir que los chicos contesten). «Su padre nunca dejó de exaltar el efecto positivo que tuvo la Biblia en la educación de sus hijos. Los hermanos Wright usaron los dones que Dios les había dado: la inteligencia, experiencia e ingenio, para inventar y volar el primer avión con motor. No permitieron que las críticas los desalentaran. Estudiando la creación de Dios (en este caso el vuelo de los pájaros) pudieron desarrollar un avión que realmente funcionara. Ellos fueron sabios porque usaron lo que sabían para traer un gran beneficio al mundo entero. Repitan conmigo: *La sabiduría consiste en usar todo el conocimiento que tenemos para hacer el bien*».

«Los hermanos Wright fueron educados muy bien por sus padres. Dios desea que toda educación refleje su sabiduría para que lleguemos a ser sabios». (El maestro mostrará y pegará la palabra «EDUCACIÓN», en «El mural de las palabras» [ver lámina 9.2]).

«Mediante la educación recibimos enseñanza y disciplina para corregir nuestro entendimiento y estar preparados para hacer el bien. La educación viene del corazón de Dios. Podemos ver a Dios en la educación porque Él es quien nos da el conocimiento para hacer el bien, aunque muchas personas no lo usan para esto. Hay muchas personas que son muy inteligentes, pero no son sabias porque usan lo que saben para hacer el mal. Esto no es lo que Dios quiere». (Haga referencia a Eliú, el personaje del drama que era muy inteligente, pero no sabio).

«La mejor forma de aprender a ser sabios es estudiando la Biblia. Ella nos enseña, nos corrige y nos da todas las herramientas que necesitamos. La Biblia nos enseña que las Palabras de Dios son más dulces que la miel».

Actividad:

Dé una galleta con miel a cada chico. Así como esta galleta es dulce y sabrosa, así mismo es la palabra de Dios. Es más deseable que el oro, la plata y que muchos bienes.

Veamos qué dice la Biblia acerca de la educación en 2 Timoteo 3:14-17:

«Todo lo que está escrito en la biblia es el mensaje de Dios, y es útil para enseñar a la gente, para ayudarla y corregirla, y para mostrarle cómo debe vivir. De ese modo, los servidores de Dios estarán completamente entrenados y preparados para hacer el bien». (Permitir que los chicos subrayen el versículo en la biblia con el color marrón y llenen la leyenda).

Actividad: (opcional)

Para representar lo que significa este versículo se dividirá el grupo en dos equipos y cada uno elegirá un voluntario que pasará al frente. A cada chico se le entregará una caja. Ambas cajas contendrán una hoja de papel para hacer una figura que los chicos no sabrán cuál es. Además de la hoja de papel habrá otras piezas que no tienen ninguna utilidad. Solamente en una de las cajas se colocarán las instrucciones para construir una figura. Mientras un grupo hace la figura con las instrucciones, el otro grupo tendrá que usar su imaginación para edificar lo que ellos creen que tienen en la caja.

Después de terminar mostrarán a la clase lo que han construido. Permita que ellos compartan como se sintieron. Luego pregúnteles a los chicos: «¿Cuál de estas dos figuras está completa y de acuerdo al diseño funcional?, ¿cuál de las dos cajas tenía todo lo que hacía falta para completar la obra?». (Permitir que los chicos contesten). «Así como esta caja estaba completa con las instrucciones y los materiales necesarios para edificar algo útil, así la Biblia tiene todo lo necesario para que podamos cumplir toda buena obra, llevándonos a ser productivos y sabios. La educación nos debe dar todo lo que necesitamos para ser buenos, de buen carácter, y hacer un trabajo de excelencia. Nos debe enseñar a crear cosas con ese conocimiento que tenemos».

«Debemos aplicar el conocimiento a nuestras vidas para cambiar. La educación nos debe hacer fuertes en nuestra mente, personas de carácter cristiano que no mienten, que son responsables, que hacen sólo el bien y se autogobiernan. Si recibimos mucha educación, pero no la ponemos en práctica, no estamos siendo personas educadas. Por ejemplo, si aprendes que una de las maneras de amar a Dios es ayudando a tus papás, y no lo haces, ¿estás aplicando el conocimiento? ¿Estás siendo sabio? No. Por lo tanto, no eres una persona educada. En cambio, cuando escuchamos esta verdad y comenzamos a limpiar nuestros cuartos estamos aplicándolo a nuestras vidas y estamos siendo sabios».

«¿Saben a quién Dios le otorgó la responsabilidad de educarnos? (Leer Deuteronomio 6:6-7). Dios les dio esa responsabilidad a los padres. Son ellos los que deben enseñar a sus hijos educándolos en la verdad de Dios. No es el gobierno de un país el que nos debe educar. Cuando el Gobierno toma el lugar de papá y mamá destruye la familia, y esto dañará nuestro país».

En Deuteronomio vemos dos cosas importantes:

1. Los padres deben educar a sus hijos.

2. Podemos enseñar a otros lo que aprendemos.

«Los padres podían enseñar lo que estaba en sus corazones primero. El proceso de la educación trata de verter lo que conoces en otros y ayudarle a los demás a extraer lo que ellos saben para que lo usen con sabiduría. Sus padres les deben enseñar a ustedes lo que conocen y ayudarles a que ustedes lo usen con sabiduría. Pero también ustedes pueden enseñar a otros las cosas que han puesto en práctica en sus vidas».

Actividad:

(Se hará una demostración con dos personas adultas que representarán unos padres. A la vez, se llamarán dos voluntarios de los mismos chicos para hacer del papel de hijos. Los padres tendrán dos libros mientras que los hijos tienen dos libros más. Se presentarán frente a la clase y se explicará lo siguiente): «Dios ha dado una revelación a cada generación, pero cuando los padres educan a sus hijos están multiplicando lo que ellos han aprendido (los dos adultos entregaran sus libros a los chicos). Cuando los hijos crezcan tendrán sus propios hijos, y al educar a sus hijos van a multiplicar lo que ellos han aprendido».

«Quizás te preguntes cómo puedes aprender más para llegar a ser sabio. Por eso me gustaría darles unos pasos que pueden seguir para aprender cualquier tema. Les llamaremos las 4R porque en inglés cada palabra inicia con la letra R». (Antes de comenzar la clase pegue los rótulos con los nombres de las 4R [ver láminas 15.30] debajo de las sillas de algunos chicos. Diga a los chicos que busquen debajo de sus asientos para ver si tienen uno de los pasos. Una vez los encuentren, péguelos en la pared en el orden correspondiente). «El primer paso es investigar. Cuando quieres aprender de un tema tienes que investigar la definición, leer varios libros del tema, buscar por Internet, etc. El segundo paso es razonar.

Cuando razonamos ordenamos las ideas en la mente, pensando en lo que quieren decir las cosas que estamos aprendiendo. El tercer paso es relacionar. Relacionamos cuando buscamos cómo aplicar el conocimiento a la vida diaria. Y el cuarto paso es registrar. Cuando registras escribes todo lo que has aprendido para que no se te olvide y puedas usarlo más adelante».

Maestro: «Luego de la clase ustedes tendrán la oportunidad de ver un ejemplo de cómo poner en práctica estos pasos para el aprendizaje y así convertirse en personas sabias».

CIERRE:

Aplicación/Resumen:

«Hemos aprendido que la educación nos lleva a ser sabios. Una persona educada no es la que conoce mucho sino la que aplica todo el conocimiento que tiene con amor, para buscar el bienestar de los demás».

«Dios también quiere que aprendamos la verdad (Su palabra), y cambiemos nuestro mal comportamiento. Ahora les pregunto a ustedes, ¿han usado todo lo que saben para hacer el bien? ¿Tienen ustedes un buen comportamiento y una buena actitud?».

«A continuación, vamos a tomar un tiempo para orar a Dios y pedirle que nos perdone si no hemos sido agradecidos por la educación, por el aprendizaje, y por no aplicar la sabiduría. Pidámosle que nos ayude a ver la educación como Él la ve, y que nos haga sabios desde nuestra niñez».

«También vamos a orar para que Dios nos revele a quién de ustedes está llamando para que sean maestros, madres o padres que traigan transformación a la educación». (Ore con los chicos y deles un tiempo donde puedan esperar en silencio para escuchar la voz de Dios).

HOJA DE REGISTRO:

Usted necesitará:

- Hoja de registro de educación (Anexo 34.c).
- Lápices de colores.

En la hoja de registro de educación [ver anexo 34.c] dibujarán la ecuación de la sabiduría, mencionarán un ejemplo de cómo pueden aplicar el conocimiento con amor y definirán en sus propias palabras lo que es la educación.

Lección 10

Ciencia

(Clases chicos12-14 años)

Color de la esfera de la ciencia: Azul.

TIEMPO: 1 hora 30 min.

OBJETIVOS:

- ▸ Aprender el propósito de Dios para las ciencias.
- ▸ Entender lo que es orden y poder.
- ▸ Estudiar diferentes áreas de las ciencias y lo que revelan del carácter y la naturaleza de Dios.

VOCABULARIO:

- ▸ Ciencia:

Conocimiento relacionado al mundo físico y sus fenómenos, la naturaleza, constitución y fuerzas de la materia, las cualidades y funciones de los tejidos vivos, etc.; también se le conoce como ciencia natural y ciencias físicas. (Diccionario Webster, 1913).

Las que tienen por objeto el estudio de la naturaleza, como la geología, la botánica, la zoología, etc. A veces se incluyen la física, la química, etc. (Diccionario de La Real Academia Española, vigésima segunda edición).

- ▸ Orden:

Disposición regular o arreglo metódico de las cosas. (Diccionario Webster, 1828).

Colocación de las cosas en el lugar que les corresponde. Serie o sucesión de las cosas. (Diccionario de La Real Academia Española, vigésima segunda edición).

- ▸ Poder:

Habilidad de actuar; la facultad de hacer algo; capacidad de producir un efecto sea físico o moral; potencia; fuerza. (Diccionario Webster, 1913).

Tener expedita la facultad o potencia de hacer algo. (Diccionario de La Real Academia Española, vigésima segunda edición).

IDEA PRINCIPAL:

► Las ciencias muestran el orden y el poder de Dios.

ESCRITURA BÍBLICA:

► Salmo 104:24: «¡Cuántas cosas has hecho, Señor! Todas las hiciste con sabiduría; ¡la tierra está llena de todo lo que has creado!».

► Romanos 1:20: «Pues lo invisible de Dios se puede llegar a conocer, si se reflexiona en lo que él ha hecho. En efecto, desde que el mundo fue creado, claramente se ha podido ver que él es Dios y que su poder nunca tendrá fin. Por eso los malvados no tienen disculpa».

Contenido de la lección

ACTIVIDAD DE INICIO:

Usted necesitará:

- Lámina de la rueda de la ciencia (lámina 10.3).
- Rótulo de la palabra de vocabulario «CIENCIA» (lámina 10.2).
- Una bata de laboratorio para el maestro o algún accesorio que lo haga lucir como científico.
- Batas plásticas desechables para cada chico bolsas blancas de basura.

(El maestro deberá estar vestido como un científico. Una vez los chicos entren al salón, repártale a cada uno una bata de laboratorio, la cual puede ser hecha con bolsas plásticas.)

Maestro: «Buenos días chicos. Para comenzar me gustaría que cada uno busque fuera del salón algo vivo que le llame la atención, pero que sea creado por Dios». (Para esta actividad reparta un vaso plástico a cada chico dónde colocará el espécimen encontrado. Permita unos 5 a 10 minutos para esta actividad).

Maestro (al terminar la actividad): «¿Qué encontraron? ¿Por qué les llamó tanto tu atención?». (Permita que varios chicos compartan). «Todo lo que recogieron es muy interesante porque lo creó Dios». (Opcional: puede mostrar a los chicos fotos o un video que les enseñe más cosas que Dios creó y donde se refleje orden y el poder). «Para poder estudiar los especímenes que ustedes encontraron usamos las ciencias». (Mostrar el rótulo de la palabra de vocabulario «CIENCIA» [ver lámina 10.2)] y permitir que un voluntario lo coloque en el mural de las palabras).

DESARROLLO:

Usted necesitará:

- Un bolso grande donde el maestro pueda llevar las siguientes láminas:
    - ▸ Lámina de un sol (lámina 10.4).
    - ▸ Lámina de una piedra cayendo (lámina 10.5).
    - ▸ Lámina de un mapamundi (lámina 10.6).
    - ▸ Lámina de una hoja de un árbol (lámina 10.7).
    - ▸ Lámina de un ojo humano (lámina 10.8).
    - ▸ Rótulos de las palabras de vocabulario: «ORDEN Y PODER» (láminas 10.1).
- Dos imanes.
- Frutas para repartir a los chicos (media fruta para cada uno, según la cosecha que haya en esa época: mangos, naranjas, bananos, etc.).
- Una flor y una hoja de un árbol.
- Cinta adhesiva.

Maestro: «La ciencia es el estudio del mundo físico, de la Creación. Las ciencias se encargan de descubrir todo lo que Dios creó: la materia, las plantas, los animales, el ser humano, las leyes físicas, etc. De esta manera podemos aplicar el conocimiento para beneficio de todas las personas. Por ejemplo, cuando la gente aplica bien la medicina o crea inventos como el avión o las computadoras, está usando la ciencia con sabiduría. Hacer ciencia es una respuesta al mandato que Dios nos dio en Génesis 1: 28: "y les dio su bendición: Tengan muchos, muchos hijos; llenen el mundo y gobiérnenlo; dominen a los peces y a las aves, y a todos los animales que se arrastran"».

«La ciencia nos revela el orden y poder de Dios. (Mostrar rótulo de las palabras de vocabulario «ORDEN y PODER» (ver láminas 10.1)». (Permitir que un voluntario lo coloque en el muro de las palabras).

Opcional: puede mostrar fotos o un video donde se vea claramente el orden y el poder de Dios en la Creación. Por ejemplo: La secuencia de Fibbonacci, el orden y el diseño de una planta, el poder de las cataratas del Niagara, el poder de un relámpago, etc.

«El orden es necesario para aplicar la ciencia. ¿Qué es orden? Es la organización en secuencia de las cosas o la organización de las cosas en el lugar que les corresponde, según el propósito de Dios».

Ahora puede organizar una competencia entre dos voluntarios donde tienen que colocar en orden alfabético de 10 a 20 palabras previamente escogidas por usted. El primero en ordenar las palabras será el ganador. Puede colocar música de fondo en el transcurso de la actividad si desea. Al terminar a actividad evalúe con los chicos si las palabras están ordenadas o no. Muestre cómo el orden se ve cuando las palabras están en el lugar que les corresponde según el alfabeto.

«¿Qué es poder? Es la habilidad de hacer o producir algo; es fuerza especial para hacer las cosas. Dios es un Dios de orden y de mucho poder. Estas características de Dios se hacen claramente visibles en la creación cuando hacemos uso de las ciencias». Romanos 1:20 dice: "Porque las cosas invisibles de él, su eterno poder y deidad, se hacen claramente visibles desde la creación del mundo, siendo entendidas por medio de las cosas hechas, de modo que no tienen excusa"». (Permitir que los chicos subrayen con el color azul el pasaje bíblico y llenen la leyenda).

«Para los judíos, la Creación fue la primera revelación de Dios. Entendiendo esto, el rey Salomón dedicó tiempo a estudiarla. En 1 Reyes 4:33 dice que Salomón habló sobre los árboles, el ganado, las aves, los reptiles y los peces».

«Dios es el creador de todo lo que existe. De su decisión inteligente (llena de orden y poder) surgió el universo en el que vivimos: surgieron las galaxias, los planetas, los átomos, el mar, los animales, en fin todas las cosas. Y todo esto, Dios lo hizo para nuestro bien, con toda sabiduría. Dios desea que descubramos la manera en que funcionan las cosas que Él creó para desarrollar inventos (tecnología) que sean de beneficio para las personas. Este es el propósito de las ciencias: además de mostrar el orden y el poder de Dios. La ciencia debe permitirle al ser humano crear cosas que traigan beneficio a la sociedad. ¿Podrías pensar en alguna tecnología que la ciencia ha creado para nuestro beneficio?». (Permitir que los chicos contesten).

«Existen varias ramas de ciencias. Cada una de estas revela las sabias decisiones que Dios toma para nuestro bien. Dios es supremo en poder: ha hecho los truenos, las estrellas y muchas cosas más que hoy vamos a explorar».

«Hoy nos vamos de excursión». (Toda la clase se realizará a través de una excursión por el campo y llevando la rueda de la ciencia [que se hará en una cartulina completa, siguiendo el ejemplo que se anexa, para que sea fácil de movilizar] y se trabajarán cada una de sus ramas por estaciones, anexando el dibujo que corresponda [si no se puede sacar a los chicos, se dividirá el salón por espacios y se decorará en forma de selva]).

«Comencemos con la astronomía». (llevarlos a un área abierta y pedirles que miren al cielo).

«La astronomía es la ciencia que estudia el universo, sus estrellas, planetas y galaxias (señalar en la rueda). La palabra de Dios dice en el salmo 147:4-5 que "Él cuenta el número de las estrellas y a todas ellas las llama por sus nombres. Grande es el Señor nuestro, y de mucho poder; y su entendimiento es infinito"».

«Al ver el universo podemos ser testigos de la grandeza de nuestro Dios».

«El cielo tiene un sistema solar que se compone de ocho planetas, muchas lunas, muchos satélites y el sol (pegue lámina del sol. [Ver lámina 10.4]). El sol es la estrella más grande que hay cerca de la tierra, y aunque lo vemos tan pequeño, es 1.300.000 veces más grande que la tierra. Además, es la principal fuente de energía para nuestro planeta; su luz sirve como alimento para las plantas produciendo el oxígeno que respiramos y con el cual vivimos». (Pedir a los chicos que respiren y boten el aire, explicándoles que lo que respiran es el oxígeno que producen las plantas por la luz del sol).

«¡Cuán grande, poderoso y ordenado es nuestro Dios que ha hecho todas estas cosas para nuestro beneficio! Piensa por un momento ¿qué podrás hacer tú con el conocimiento de estas cosas para ayudar a otras personas? Podrías estudiar las estrellas y saber por qué la marea sube o baja, cómo funciona el sol y cuánto potencial podemos usar del cielo para crear objetos que ayuden a la gente».

Lleve a los chicos a otro lugar donde haya piedras o tierra. La ciencia no sólo estudia el cielo y todo lo que hay en él. También estudia las leyes de todo lo que tiene peso y ocupa espacio como las piedras. A este estudio se le llama la física (mostrar el área de la física en la rueda de las ciencias). Dios buscó el bienestar de toda la creación al crear las leyes físicas que muestran su poder. Estas leyes nos ayudan a entender de dónde viene el calor, la luz y el magnetismo como el que tienen los imanes (de tener disponible dos imanes mostrarles cómo se atraen entre sí). «También nos enseñan a entender la electricidad. ¿Alguna vez has visto un relámpago?». (Pegar lámina de una piedra cayendo [ver lámina 10.5]). «Pues la electricidad que hay en un sólo relámpago puede mantener encendido un foco por 90 días. ¿Te imaginas que un relámpago pueda hacer algo como esto? Pero hay otra ley que muestra el poder que nuestro Dios tiene y su amor con la humanidad. Esta es la ley de la Fuerza de gravedad. Ella hace que cada planeta se mantenga en la posición correcta, que la Tierra esté en su lugar y que cada ser humano se quede de cierto modo «pegado» a la Tierra. Gracias a esta ley podemos estar seguros de que nuestro planeta no se acercará demasiado al sol como para quemarnos, ni se alejará demasiado como para congelarnos. Piensa por un momento ¿qué podrías hacer tú con el conocimiento de estas leyes para ayudar a las personas? Podrías construir máquinas de energía solar para la gente pobre, podrías hacer medicina usando el magnetismo y hacer sistemas de electricidad a través de la energía solar de los truenos».(Lleve a los chicos cerca de un árbol frutal).

Maestro: «Bueno, hemos aprendido mucho sobre la grandeza y el poder de Dios. Pero hay otra rama de las ciencias que vamos a explorar: se llama la geografía (muestre en la rueda el área de la Geografía).

La geografía es la ciencia que describe la Tierra, su clima, la vegetación, las diferentes sociedades, entre otros. Esta rama de las ciencias nos muestra a Dios como proveedor, porque la Tierra es la casa que Dios nos hizo para vivir y nos ha dado todo lo que necesitamos para tener comida, vestido y refugio; nos ha dado plantas, animales y personas con las cuales compartir. Además, Dios ha sido sabio al crear el planeta Tierra y hacerlo con tanto orden». (Pegar lámina del mapa del mundo [ver lámina 10.6]).

«En este planeta Dios por medio de su poder, nos proveyó todos los minerales y nutrientes necesarios para sembrar plantas y alimentarnos. Nos proveyó una tierra lista para sembrar árboles como éste del que podemos comer su fruta». (Señale el árbol frutal dónde se encuentran. Reparta media fruta a cada chico para que la coma.)

Maestro: «Piensa por un momento ¿qué podrías hacer con lo que Dios nos proveyó en la Tierra para ayudar a las personas? Podrías plantar árboles frutales en los diferentes climas y construir casas, barcos, etc., con los diferentes materiales que produce la tierra, como la madera. También podrías conocer las diferentes fuentes de agua para proveer agua potable a las personas que no tengan». (Permita por un momento que los chicos miren el árbol, lo toquen y piensen en las partes que tiene. Luego pídales que miren bien sus hojas y piensen en su forma, color y tamaño). «Otra rama de las ciencias es la biología (mostrar en la rueda la parte de la biología), donde podemos ver el orden de Dios. La biología es la ciencia que trata de los seres vivos como las plantas, los animales y los seres humanos. Desde las venas de una hoja hasta en la forma de las plumas de los pájaros vemos el orden de Dios. Si pudiéramos mirar la hoja de un árbol (pegar lámina de una hoja [ver lámina 10.7]) a través de un microscopio nos sorprenderíamos porque fue diseñada con un orden perfecto. Dios fue Poderoso al dar orden a las venas de las hojas de los árboles porque es lo que les permite mantener su forma y facilita llevar el alimento que la planta necesita para producir oxígeno. Piensa por un momento ¿qué podrías hacer tú con el conocimiento de las plantas para ayudar a las personas? Podrías hacer medicinas, champú, jabones, y muchas cosas más».

Maestro (Lleva a los estudiantes a un lugar plano): «Ahora vamos a ver la última rama de las ciencias: la anatomía humana. Esta es la ciencia que estudia el cuerpo humano y su funcionamiento.

Nosotros, los seres humanos, somos la mejor obra de Dios. Dios creó cada parte de nuestro cuerpo, la diseñó y luego nos la dio de manera maravillosa para vivir en este mundo. Como nuestros ojos (pegar lámina del ojo. [Ver lámina 10.8]), que reflejan la perfección de Dios (pedir a los chicos que se miren unos a otros sus ojitos sin tocarlos). Nuestros ojos son mejores que cualquier cámara fotográfica, porque pueden analizar colores y ajustarse a la luz. Imagínate una mano sin dedos o los dedos sin las uñas o una cabeza sin ojos; esto sería horrible. Aquí vemos una vez más que Dios es sabio porque nos diseñó un cuerpo perfectamente conectado entre sí con un funcionamiento excelente. Piensa por un momento, ¿qué podrías hacer tú con el conocimiento del cuerpo humano para ayudar a las personas? Con el estudio de la anatomía podrías ayudar a sanar a muchos como médico y crear mejores instrumentos o aparatos para las personas que les falta alguna parte de su cuerpo». (Puede volver al salón de clases o proseguir la parte de la aplicación afuera del salón).

CIERRE:

Aplicación/Resumen

«La ciencia muestra el orden y el poder de Dios a medida que estudia y descubre el diseño de la Creación. Con las diferentes áreas de la ciencia podemos entender que Dios nos proveyó un universo ordenado, perfecto, grande, lleno de poder y hecho con toda su sabiduría para que nosotros como seres humanos pudiéramos desarrollar nuestro máximo potencial. Nosotros somos los encargados de cuidar la Tierra y de usar todo lo que sabemos de ella para crear alimentos, medicinas y muchos objetos que ayuden a las personas a tener una vida mejor y buena salud. Cuando hacemos esto estamos utilizando las ciencias para mostrar la sabiduría y el poder de Dios, trayendo bienestar y orden a la Tierra. ¿Qué podrías hacer desde ahora para mostrar el orden y el poder de Dios en la Creación?». (Lleve a los chicos a entender que ellos pueden comenzar por ser buenos mayordomos de la tierra que Dios les ha dado. También ellos pueden defender el verdadero propósito de las ciencias cuando alguien les enseñe cosas contrarias a la verdad bíblica. Aproveche la oportunidad para animarlos a que estén pendientes a la voz de Dios, pues tal vez esté llamando a algunos para impactar las ciencias. Cierre con una oración por el futuro de los chicos).

HOJA DE REGISTRO:

Usted necesitará:

- Hoja de trabajo de ciencia (Anexo 35.b).
- Revistas viejas para recortar.
- Marcadores.
- Pegamento blanco.
- Cinta adhesiva (Cinta de enmascarar amarilla).
- Tijeras.

Por medio de recortes de revista llenar la rueda de las ciencias (Hoja de trabajo de ciencia [ver anexo 35. b]) utilizando símbolos diferentes a los utilizados en la clase, pero relacionados a cada rama de la ciencia presentada en la rueda.

Arte

Arte

(Clases chicos 12-14 años)

Color de la esfera del arte: Rosado.

TIEMPO: 1 hora 30 min.

OBJETIVOS:

- ▸ Aprender el propósito de Dios para las artes.
- ▸ Entender lo que es la belleza y cómo esta se relaciona a la verdad.
- ▸ Conocer la importancia de las leyes de estética en el arte.
- ▸ Conocer la relación entre el deporte y las artes.

VOCABULARIO:

- ▸ Arte (bellas artes):

Cada una de las que tienen por objeto expresar la belleza, especialmente la pintura, la escultura, la arquitectura y la música. (Diccionario de la Real Academia Española, vigésima segunda edición).

- ▸ Belleza (artística)

Simetría de las partes; armonía; la justa composición. (Diccionario Webster, 1828).
Armonía y perfección que inspira admiración y deleite. (Diccionario de la lengua española de Espasa-Calpe, 2005).
La que se produce de modo cabal y conforme a los principios estéticos, por imitación de la naturaleza o por intuición del espíritu. (Diccionario de la Real Academia Española, vigésimasegunda edición).

IDEA PRINCIPAL:

> Las artes muestran la belleza de Dios.

ESCRITURA BÍBLICA:

- ▸ Génesis 1:1: «En el comienzo de todo, Dios creó el cielo y la tierra».
- ▸ Eclesiastés 3: 11ª: «Él, en el momento preciso, todo lo hizo hermoso…».

Contenido de la lección

ACTIVIDAD DE INICIO:

Usted necesitará:

- **Opción No. 1:**
  - ▸ Videos y/o imágenes de buen arte y deportes.
  - ▸ Proyector.
  - ▸ Sonido.
  - ▸ Una pintura o escultura real (opcional).
- **Opción No. 2:**
  - ▸ Papel.
  - ▸ Lápiz.
  - ▸ Pintura / lápices de colores.
  - ▸ Plastilina.

Opción No.1: Mostrar videos y/o imágenes de «buen arte» (baile, pintura, música instrumental, etc.) y celebración (como el deporte), preferiblemente con audio. Al terminar pregunte a los chicos qué observaron y qué pensamientos surgían al ver las imágenes y al escuchar la música.

Maestro: «Lo que acabamos de ver, incluyendo los deportes, son expresiones artísticas. Pero, ¿de dónde viene esa habilidad de crear y disfrutar el arte?». (Permitir que los chicos contesten).

Opción No.2: Dar a los chicos papel, lápices, pinturas, crayolas, plastilina, Deles 10 minutos para que diseñen y creen algo con los materiales que usted les entregó. Pueden pintar, escribir un poema o un cuento, hacer una figura, etc. Luego pueden mostrarlo a la clase. Al terminar, pregunte a los chicos qué pensamientos les surgían al crear el dibujo.

Maestro: «Ustedes acabaron de hacer una expresión artística. En su capacidad, ustedes crearon algo nuevo, inspirado en una foto de la creación de Dios. Pero, ¿de dónde viene esa habilidad de hacer y disfrutar el arte?».

DESARROLLO:

Usted necesitará:

- 5 fotos que reflejen belleza y 5 fotos que no. (Anexo 36.a).
- Canción de música popular que haya escuchado con anterioridad que exprese una idea clara a favor o en contra de un principio o mandamiento bíblico.

- Radio o sonido.
- Rótulo de las palabras de vocabulario: «ARTE» y «BELLEZA» (lámina 11.1, 11.2).
- Lámina de un ojo (lámina 10.8).
- Lámina de un oído (lámina 15.32).
- Lámina de un cerebro (lámina 1.2).
- Lámina con la escultura de un rostro humano (lámina 15.33).
- Lámina de las tablas de los Diez Mandamientos (lámina 15.34).
- Lámina de simetría (lámina 11.3).

(Lea Génesis 1:1): «En el principio creó Dios los cielos y la tierra». ¿Quién creó los cielos y la Tierra? (Permitir que los chicos contesten). Dios, fue el primero en crear, por eso es el primer artista. Toda la creación nace de sus cualidades artísticas. La Biblia dice que Él habló y todo fue creado. Si nosotros podemos crear algo artístico es porque fuimos hechos a su imagen y semejanza. Para conocer lo que es arte y cuál es el propósito del arte, tenemos que ir al primer artista.

«Arte es la creación de algo haciendo uso de las habilidades dadas por Dios, con el propósito de mostrar la verdadera belleza». (Muestre y pegue el rotulo de la palabra de vocabulario «ARTE» en «El mural de las palabras» [ver lámina 11.1] y permita un tiempo para que los chicos coloreen el versículo de Génesis 1:1 de color rosado y llenen la leyenda).

«Cuando Dios hizo la Creación, su propósito principal fue darnos un ambiente lleno de belleza que mostrara su gloria y que reflejara quién es Él». (Lea Eclesiastés 3: 11a: Él, en el momento preciso, todo lo hizo hermoso... Enfatice que todo lo que Dios hizo muestra la existencia de la belleza).

«El hombre puede mirar todo lo creado y no le faltan razones para adorar a Dios. Pensemos en un amanecer o atardecer. Piensa en los colores del otoño y en los de la primavera. Dios creó cada uno de estos escenarios, y cuando lo miras exclamas: ¡es asombroso! Si estos escenarios son bellos, cuánto más será el primer artista». (Puede mostrar fotos de estos escenarios y llamar la atención de los chicos hacia la belleza en los colores, la perfección de las formas.)

«Dice la Biblia que al séptimo día, cuando Dios terminó Su Creación, Él descansó. ¿Necesita Dios dormir? No. Cuando la Biblia dice que descansó, podemos concluir que admiró y disfrutó su obra, exclamando que su obra era buena. La belleza viene de Dios. Él es bello». (Pegar rótulo de la palabra «BELLEZA» en «El mural de las palabras». [ver lámina 11.2].

«Es importante que entendamos lo que es la belleza para determinar qué es buen arte. La belleza está en aquello que Dios diseñó para complacer el ojo, el oído, el gusto, la estética y la moral». (Repase la definición de los ya mencionados en las láminas 10.8, 15.32, 1.2, 15.33, 15.34)

«La estética se refiere a esos principios que determinan lo que es bello. Las leyes de la estética tratan con la armonía (unidad correcta de las cosas como colores, sonido, etc.), la simetría (la forma, el tamaño y la correspondencia de las partes entre sí), los colores, las formas y los sonidos entre muchas otras». (Muestre lámina 11.3 para que ellos puedan ver cómo lo que es ordenado tiene armonía y simetría y refleja la belleza que complace nuestros sentidos. También puede colocar una pieza musical de Johann Sebastian Bach).

«La moral se refiere a lo que es bueno y justo delante de Dios. El buen arte debe mostrar la verdad, aquello que es bueno. Por ejemplo, estás escuchando el ritmo de una música que te gusta y sabes que cumple con las leyes de estética porque tiene armonía. Hasta aquí podemos decir que esa música muestra belleza. Pero si alguien le añade una letra que habla mentiras, maldad y obscenidades, ¿esa música está mostrando belleza con esa letra? (permitir que los chicos respondan). Claro que no, porque no sigue los principios morales de Dios ni exalta la verdad».

«No todo lo que describen como arte lo es. Para apreciar la belleza debemos conocer los principios estéticos del Creador. Existen leyes que tratan con la armonía de colores, de formas y sonidos. Estas leyes determinan y gobiernan lo que es bello. Por eso la belleza es absoluta, o sea, única. Fuimos diseñados para ser atraídos a la belleza, y podemos ver o escuchar algo bello aunque no conozcamos todas estas leyes. Todos los seres humanos podemos experimentar el descanso y la restauración del alma que nos trae la belleza. La belleza nos lleva a celebrar la Creación. Sin embargo, el hecho de que algo nos atraiga no necesariamente lo hace bello».

Actividad: Cazadores de belleza.

(Muestre a los chicoslas imágenes del anexo 36.a y pregúnteles cuáles muestran belleza y cuáles no). «Para que el arte refleje belleza tiene que seguir el orden de Dios cuando creó todas las cosas, es decir, debe ir de acuerdo a las leyes de estética y de moral. Las artes también comunican ideas. Comunican una historia y unas ideas. A través del arte debemos contar la Historia del Creador. Dios es el gran artista dirigiendo y enseñando la historia de su Reino. La Historia es la presencia de Dios entre los hombres. Así mismo, los artistas deben ser contadores de su historia. ¿Cuál es la historia que debe ser relatada por un artista? Nosotros debemos contar la Historia de Dios, la cual está llena de belleza, justicia y verdad».

«Pero como dijimos, el arte también comunica ideas. Por ejemplo, la música que escuchamos, las películas que vemos, un baile, etc., están comunicando las ideas del artista. Estas son esparcidas a las naciones a través de los medios de comunicación. Un artista tiene la responsabilidad de cambiar la visión errada de las ciudades, penetrando en la cultura con las ideas del Reino de los cielos. ¿Cuáles son estas ideas? ¿Hay verdad en ellas?».

Actividad: Cazadores de ideas.

Toque una canción popular, no necesariamente cristiana. Divida los chicos en grupos pequeños y otórguele a cada grupo la letra de la canción en un papel. Indique a los chicos que deberán escuchar la canción y escribir en una hoja las ideas que son comunicadas en ella. El líder del grupo debe estar con ellos para ayudarles. Luego analice con todos los grupos las ideas y compárelas con la verdad de Dios. Pregunte a los chicos si esa canción comunica la Historia de Dios, y si sus ideas son verdad o mentira.

Maestro: «Como mencionamos al inicio de la clase, las artes incluyen la celebración. Celebrar es adorar, exaltar, elogiar o darle algo a alguien». (Esta definición se basa en el diccionario Webster, 1828). «Todo tipo de arte adora o le da honor a algo o a alguien. El buen arte, conforme a la verdad de Dios, alaba y honra al Creador. Cuando una persona que ama a Dios baila, lo hace para celebrarlo a Él; cuando un pintor pinta un hermoso cuadro lo hace para adorarle; cuando un escultor hace una escultura, la hace para darle la gloria a Dios. De igual manera, como parte de la celebración existen los deportes».

«¿Qué podemos decir de los deportes? Tal vez te estés preguntando donde está el lugar de un atleta en el Reino de Dios. Los atletas son como los artistas; tienen unos dones dados por Dios que deben ser cultivados y desarrollados para mostrar belleza, traer descanso a la vida del hombre y celebrar al Creador y su Creación. Para que esto se cumpla, su desempeño debe llevarse con justicia y verdad dentro y fuera del juego. Los deportes deben unir los pueblos en sana competencia y celebrando la gloria de Dios en las naciones. Las Olimpiadas son un ejemplo de lo que pueden hacer los deportes, uniendo muchas naciones que llevan lo mejor de sus países. Lamentablemente, hoy día se han olvidado que todas las habilidades deportivas vienen de Dios y ya no todos lo celebran a Él en las Olimpiadas, sino que se celebran a sí mismos».

«Tanto el atleta como la persona que ve el juego disfrutan y celebran la gloria de Dios. Así como cuando hablamos de las artes, el deporte también muestra belleza porque conlleva dinamismo, armonía, orden y una demostración magnífica de las habilidades. Pero, el deporte también puede tornarse feo cuando los jugadores juegan sucio, hacen trampa y no juegan con excelencia».

«Aunque pienses que Dios no te ha llamado a ser un artista o un atleta, puedes disfrutar del descanso y la restauración que el arte y el deporte traen al alma al practicarlos de manera personal entre tu familia y amigos».

CIERRE:

Aplicación/Resumen

«Con todo esto que hemos aprendido sobre el arte, ¡todos nosotros debemos aspirar a reflejar belleza! Debemos crear y promover lo que es hermoso, lo que es agradable a los cinco sentidos y lo que va de acuerdo con las leyes estéticas y morales».

«No olvidemos que las artes comprenden cualquier actividad que el ser humano realiza para traer belleza, descanso y comunicar algo. Las artes revelan la belleza de Dios trayendo descanso, recreo y restauración al alma. No olvides tener espacio en tu vida para la belleza, y un día de la semana para el descanso disfrutando el buen arte».

«Piensa en todo lo que haces en un día. ¿Reflejas, en todo, la belleza de Dios? ¿Reflejas belleza en la forma en que limpias y mantienes tu cuarto o en cómo te vistes? También piensa cuál arte o deporte estás apoyando. ¿Es un arte y deporte que muestran belleza y que comunican lo que es justo y verdadero?».

Dirija a los chicos en una oración de arrepentimiento. Ore para que Dios pueda llenarlos con su temor para apoyar la música, las películas, los cuentos, las esculturas, las pinturas, etc. Los chicos deben apoyar todas las cosas que exaltan la verdad, lo bueno y lo justo. Aproveche la oportunidad para orar que Dios los llame a transformar esta esfera de la sociedad siendo artistas o deportistas que traigan la belleza de su Reino a la tierra.

HOJA DE REGISTRO:

Usted necesitará:

- Revistas viejas para recortar.
- Tijeras (suficientes para que los chicos compartan).

- Pegante.
- Hoja de trabajo arte [Anexo 36.b].

Los chicos en la hoja de trabajo de arte realizarán un afiche con imágenes de revista que muestren belleza. En la parte inferior de la hoja redactaran en breves palabras como ellos se comprometen a traer belleza a este mundo.

Provea a cada chico con una hoja del pareo (colocar en parejas) de las artes. Explíqueles que deben emparejar al artista con su instrumento u objeto de su arte.

Comunicaciones

Lección 12

Esfera de las comunicaciones
(Clases chicos 12-14 años)

Color de la esfera de las comunicaciones: Rojo.

TIEMPO: 1 hora 30 min.

OBJETIVOS:

- Conocer el propósito de Dios para las comunicaciones.
- Aprender lo que es la verdad.
- Promover la utilización de los medios de comunicación para comunicar la verdad.
- Animar a utilizar la soberanía que Dios nos ha dado para escoger lo bueno en los medios de comunicación.

VOCABULARIO:

- Comunicación:

Acto de impartir u ofrecer información (pensamientos u opiniones) de uno a otro a través de las palabras; mensajes u otros métodos. (Diccionario Webster, 1828).
Acción y efecto de comunicar o comunicarse. (Diccionario de la Real Academia Española, vigésima segunda edición).

- Soberano:

Poder supremo; supremacía; poseer el mayor poder. La absoluta soberanía le pertenece sólo a Dios. (Diccionario Webster, 1828).
Que ejerce o posee la autoridad suprema e independiente. (Diccionario de la Real Academia Española, vigésima segunda edición).

- Verdad:

Conformidad al hecho o realidad; conformidad exacta a aquello que es, que fue o que será. (Diccionario Webster, 1828).

IDEA PRINCIPAL:

- Las comunicaciones trasmiten la verdad de Dios.

ESCRITURA BÍBLICA:

- Salmo 119:160 a: «En tu palabra se resume la verdad…».
- Hebreos 4:12: «Porque la palabra de Dios tiene vida y poder. Es más cortante que cualquier espada de dos filos, y penetra hasta lo más profundo del alma y del espíritu, hasta lo más íntimo de la persona; y somete a juicio los pensamientos y las intenciones del corazón».

Contenido de la lección

ACTIVIDAD DE INICIO:

Usted necesitará:

- Tres iPod con audífonos y/ o radio con música ruidosa. (opcional, de no tenerlos disponibles pueden utilizar ollas o cucharones que hagan ruido).
- Telón o bolsas negras (para dividir el salón en tres estaciones).

- El maestro debe preparar tres estaciones, cada una debe tener un iPod con audífonos o una radio con música ruidosa. (De no tener disponible radios ni iPod, puede pedirles a los mismos chicos del salón que hagan ruido gritando o utilizando ollas y cucharones, y/o colocando una sola radio con música ruidosa en volumen alto).

- Divida cada estación con un telón o con una bolsa negra que sirva de telón (la idea es que las personas que estén en las diferentes estaciones no se vean entre sí, a menos que alcen el telón o la bolsa negra). Forme un equipo de cuatro voluntarios: tres personas para las estaciones (una por estación) y una persona que recibirá el mensaje inicial. El participante No. 1 no llevará audífonos, mientras que los participantes dentro de las estaciones deberán tener encendido el iPod o la radio con música ruidosa. El maestro compartirá con el participante No. 1 varias frases que contengan un mensaje importante (ver opciones mencionadas más adelante).

- A su vez, el primer participante deberá compartir el mensaje a la segunda persona del equipo cuando se levante el telón que los divide (los participantes no pueden gritar, ni hacer gestos con sus manos, ni acercarse al otro participante).

- Cada participante debe transmitir el mensaje a la persona siguiente hasta que llegue al participante No. 4, quién escribirá en la pizarra la frase que recibió. Se les darán de 10 a 15 segundos para intentar transmitir la información (si desea puede hacer dos equipos y crear una competencia para ver cuál es el equipo que más frases acierta).

Opciones de frases:

1. La familia muestra el amor de Dios.
2. No podré llegar porque está lloviendo.
3. ¡Ocurrió un accidente, llama a una ambulancia!
4. La educación muestra la sabiduría de Dios.
5. Tres cualidades del carácter de Dios son el amor, la sabiduría y la justicia.
6. ¡Hay un incendio, llama al bombero!

Al terminar la actividad pregunte a los chicos:

«¿Qué trataban de hacer los participantes en esta actividad?». (Permita que los chicos contesten). «En esta actividad cada participante intentó comunicar "correctamente" un mensaje. Nosotros los seres humanos fuimos creados para comunicarnos. Nos comunicamos a través de palabras, imágenes, expresiones físicas, lenguaje de señas, etc. Pero quien comenzó esta idea de la comunicación fue Dios, el primer gran comunicador».

DESARROLLO:

Usted necesitará:

- Rótulo de la palabra de vocabulario «COMUNICACIONES» (lámina 12.11).
- Lámina de la creación (lámina 2.1).
- Lámina de Jesús (lámina 15.35).
- Lámina de la Biblia (lámina 15.23).
- Lámina de una paloma (lámina 4.5).
- Una manzana roja.
- Rótulo de la palabra de vocabulario «VERDAD» (lámina 12.12).
- Computadora y proyector (opcional).
- Cortos de películas conocidas por los chicos que promuevan malos y buenos mensajes.
- Guttenberg:

Opción No.1: Mostrar video: Los inventores: Gutenberg y la Imprenta, el cual puede encontrar en YouTube: www.youtube.com/watch?v=CsGSDw9xZ9Q (Debe mostrar sólo partes escogidas previamente, pues el video dura 26 min. aproximadamente).

Opción No.2: Montar historia con láminas (Anexo 37.a).

Maestro: «Hoy vamos a descubrir el propósito de Dios para la esfera de la sociedad que se encarga de comunicar. Esta área es la que conocemos como las comunicaciones».

(Mostrar rótulo de la palabra de vocabulario «COMUNICACIONES» [ver lámina 12.11] y permitir que un voluntario la pegue en el mural de las palabras).

«Comunicar es trasmitir información utilizando palabras, señales u otros medios». (Repetir la definición). «O sea que, cuando nos hablamos, cuando nos escribimos, cuando nos hacemos señas para transmitir una información… ¡nos estamos comunicando! Tú y yo podemos comunicar información porque fuimos hechos a imagen y semejanza de un Dios que se comunica. Desde el comienzo Dios ha buscado comunicarse con nosotros los seres humanos. Él se comunica por medio de la Creación». (Mostrar imagen de la creación [ver lámina 2.1]) dejándonos saber que existe un diseñador inteligente y bueno que creó todas las cosas para nuestro bien.

«Dios también se comunicó al enviar a su hijo Jesús (mostrar lámina de Jesús [ver lámina 15.35]) quién nos enseñó cómo vivir de manera que agrademos al Padre. Jesús fue un excelente comunicador. De hecho, algunos alguaciles dijeron: "Jamás hombre alguno ha hablado como este hombre" (vea Juan 7:46). Ellos estaban sorprendidos de la información que Jesús les comunicaba y de la manera en que Él lo hacía. También Dios se comunica por medio de la Palabra escrita (mostrar lámina de una Biblia [ver lámina 15.23]) la Biblia, la cual nos enseña sus secretos y las verdades profundas acerca de Él. Dios también se comunica a través del Espíritu Santo (mostrar lámina de una paloma [ver lámina 4.5]) quien nos habla a nosotros aún hoy en día. Como vemos, Dios está muy interesado en comunicarse con nosotros todo el tiempo. Él nos comunica siempre la verdad porque Él es la verdad. El salmo 119:160 nos dice que la suma de todas las palabras de Dios es siempre verdad». (Permita que los chicos coloreen el pasaje con el color rojo y llenen sus leyendas). ¿Recuerdan que Dios eligió ser verdadero? ¿Recuerdan lo que esto significa?». (Permitir que los chicos respondan).

«La verdad es la descripción objetiva de la realidad. La verdad ocurre cuando lo que comunicas es conforme a lo que sucedió, en otras palabras, a lo que es real. Por ejemplo: Dios hizo la manzana roja». (Tener una manzana roja en su mano y mostrarla mientras dice esto). «¿Eso es real? ¡Sí! Ahora: ¿Dios hizo la manzana azul? ¿Eso es real? ¡No! Entonces eso no es verdad porque no va de acuerdo con la realidad».

«Puesto que Dios se comunica, y lo que comunica es verdad, podemos decir que la esfera de las comunicaciones nos muestra la verdad de Dios». (Muestre el rótulo de la palabra de vocabulario «VERDAD» [ver lámina 12.12] y permita que un voluntario lo pegue en el mural de las palabras).

«Para Dios es tan importante la comunicación que Él se llama a sí mismo la Palabra viva. Dice en la carta a los Hebreos 4:12 que la Palabra de Dios es viva y eficaz, que penetra hasta nuestros huesos y que es muy poderosa». (Permita que los chicos coloreen el pasaje con el color rojo y llenen sus leyendas).

«Las palabras de Dios son muy importantes para los hombres. Sus palabras tienen poder y traen vida porque son la verdad. Dios ha decidido usar sus palabras para comunicar lo que es verdadero. Como Dios te hizo a su imagen y semejanza, tú también puedes darle poder a tus palabras para que traigan vida al decidir comunicar la verdad. Hoy día existen muchos medios de comunicación. ¿Qué medios de comunicación conoces?». (Permita que los chicos contesten. Ayúdeles a pensar en aquellos medios que ellos utilizan para compartir información con otros. Anote en la pizarra lo que los chicos mencionen). «Actualmente contamos con mucha variedad de medios de comunicación, entre ellos están las cartas, el televisor, la radio, el Internet, el teléfono, los celulares, el periódico, las revistas, noticieros, películas, música, video juegos etc.».

«¿Qué están comunicando las personas hoy día a través de estos medios?». (Permita que los chicos contesten). «Las personas son libres para comunicar lo que quieran utilizando los medios. Aquellos que no aman a Dios han decidido comunicar la mentira. Promueven la violencia, la maldad, el engaño y la desnudez, entre otros. Sin embargo, aquellos que aman a Dios han decidido comunicar la verdad. Promueven lo bello, la vida, la amistad, la pureza y cosas semejantes a estas».

«Dentro de todas las opciones de comunicar información, cada uno de ustedes tienen el poder para elegir qué escuchar y qué ver. Si ves un programa en la televisión que es malo y no trae vida ni verdad, tú puedes decir: NO, no voy a ver ni creer lo que dice este programa. Por ejemplo: si al prender el televisor están dando una película donde los chicos hacen magia para obtener sus propios sueños y deseos, y desobedecen a sus padres y maestros para lograr lo que ellos quieren (se está haciendo alusión a la película de Harry Potter) ¿esto trae vida y dice la verdad de cómo debemos vivir? Claro que no. Por eso debemos cambiar de canal y no creer esas mentiras». (De ser posible, puede colocarles buenas películas conocidas. Debe tener cuidado con las películas de Harry Potter, conocidas por promover mensajes perversos. Sin embargo, las películas de Narnia son conocidas por revelar verdad y promover los buenos valores).

«También tú tienes el poder para elegir qué vas a comunicar a otros al utilizar cualquier medio de comunicación. ¿Qué información compartes con otros cuando hablas, cuando usas Internet u otro medio? ¿Acaso los utilizas para decir mentiras o hablar cosas que no son valiosas? Recuerda que debes comunicar la verdad porque tus palabras tienen mucho poder».

«Vamos a leer Jeremías 1:6-10 para ver qué es lo que debemos comunicar y cuán importantes son las palabras que comunicamos». (Recomendamos leer el pasaje de la Biblia en la versión Dios Habla Hoy y en grupos pequeños).

«¿Qué palabras debemos comunicar?». (Permitir que los chicos contesten. Hacer referencia al versículo 7). «Estamos llamados a comunicar lo que Dios nos diga. Su palabra es muy clara y nos dice siempre la verdad».

«El versículo 10 nos enseña el poder que tienen las palabras. ¿Cuál es ese poder?». (Permitir que los chicos contesten). «Como dice el versículo, las palabras tienen poder para destruir o para construir. Dios nos ha dado poder para destruir lo que es malo y para construir lo que es bueno. Por eso debemos decir siempre la verdad, para que la mentira sea destruida. Por ejemplo, si yo trabajara para un periódico, yo buscaría escribir noticias que digan siempre la verdad».

«Si yo sé que hay una persona que está robando, yo publicaría noticias con fotos de la persona para que los ciudadanos estén alerta y se lo digan a la policía. De esta manera estoy destruyendo el mal. Pero como mis palabras también tienen poder para construir el bien, si conozco de una persona que está haciendo algo valioso como dar comida a los pobres o de jóvenes que nos representan en otros países a través de los deportes, yo escribiría acerca de ellos para resaltar las buenas noticias de nuestra comunidad».

«Así mismo, cuando escribes mensajes en Facebook, cuando hablas con tus compañeros por teléfono, o cuando usas otro medio de comunicación, no debes decir cosas tontas o hablar mal de la gente porque con esto estás construyendo más maldad».

«¿Qué cosas debes comunicar cuando utilizas tu Facebook u otros medios de comunicación?». (Permitir que los chicos respondan). «Puedes escribir mensajes de ánimo y enviar datos verdaderos que ayuden a los demás a pensar. Ningún medio de comunicación es malo; las computadoras no son malas, ni el Internet, ni el televisor, ni Facebook, ni los celulares, ni el correo electrónico».

Actividad: (Decirles a los chicos que agarren algún objeto que tengan a su alrededor, ya sean sus libretas, lápices, crayolas, zapatos). Este objeto no es malo ni bueno. Lo que lo hace malo o bueno es lo que yo hago con él. Si yo lo uso para tirárselo a mi compañero, no estoy usando bien el objeto. Si lo uso para lo que fue diseñado: escribir, pintar, etc. (depende de lo que hayan agarrado), entonces lo estoy usando para bien. De la misma manera, los medios de comunicación son para dar a conocer la verdad.

«El propósito de Dios con las comunicaciones es que proporcionemos información importante que esté basada en la verdad, para que las personas bien informadas, puedan tomar decisiones sabias. Una persona que ayudó mucho al avance de las comunicaciones fue Johannes Gutenberg. Veamos qué fue lo que hizo y por qué».(Opción A: presentar un video corto sobre la historia de Gutenberg y la Imprenta [ver lista de materiales para enlace en Internet] /Opción B: leer historia con láminas de Gutenberg y la Imprenta [ver anexo 37. a]).

«¿Qué hizo Gutenberg para compartir la información de manera más efectiva en todo el planeta?». (Permitir que los chicos contesten). «Este hombre creó la imprenta cambiando así el mundo de las comunicaciones. Por medio de la imprenta hizo libros con información muy valiosa. ¿Sabes qué fue lo que motivó a Gutenberg a crear la imprenta? Él quería "…dar alas a la verdad para que ella pudiera ganar a todas las personas del mundo, por medio de una máquina incansable que la multiplicaría como el viento"[1]. Lo que lo motivó fue comunicar la verdad y hacerla accesible a todos por un precio más económico. Es por esto que el primer libro que él multiplicó a través de la imprenta fue la Biblia».

CIERRE:

Aplicación/Resumen

«Dios nos creó con la capacidad de comunicarnos. El área de las comunicaciones nos muestra la verdad de Dios. Él siempre se está comunicando con nosotros y todo lo que Él dice es verdad. Pero de igual forma, Dios desea que tus palabras sean como las de Él, verdaderas. Hoy día existen muchos medios de comunicación y tú debes utilizar estos medios de comunicación para hablar cosas importantes y verdaderas. No olvides que las personas que no aman a Dios utilizan los medios de comunicación para distorsionar la verdad, por medio de mensajes de maldad y mentira. Pero Dios te ha dado poder para elegir qué vas a ver, a escuchar y a creer de los medios de comunicación y qué vas a comunicar con tus palabras. ¿Sabías que se ha descubierto científicamente que las ondas de sonido nunca desaparecen? Siempre se queda una parte de ese sonido viajando por el espacio. La Biblia dice que Dios ha escrito todas nuestras palabras en un libro y nos pedirá cuentas por ellas. Por esto no debes hablar por hablar, pues tus palabras duran para siempre y tienen el poder de crear o destruir».

«¿Cómo has utilizado tus palabras? Pensemos por un momento si hemos hecho lo correcto con lo que hemos visto por la televisión, o con lo que hemos escuchado. Pensemos si hemos hablado sólo la verdad, así como Dios lo dice. Aplicándolo a tu vida, ¿has sido verdadero cuando te comunicas con las personas?

---

1. Frase original: Dios sufre por la multitud de almas a las que su Palabra no puede llegar. La verdad bíblica está encarcelada en un pequeño número de manuscritos que se confinan en lugar de difundir este tesoro al público. Rompamos el sello que sella las cosas santas y demos alas a la verdad para que se gane a toda alma. Llegó al mundo su Palabra escrita a gran costo por manos que se paralizan fácilmente, y ahora es multiplicada como el viento por una máquina incansable. (http://www.colsoncenter.org/the-center/columns/indepth/17348-johannes-gutenberg-c1398-1468)

Al usar Facebook o Twitter, ¿has mostrado la verdad de Dios en tu vida? Si te has decidido por la mentira o la superficialidad, (lo vano) vamos a arrepentirnos y a pedirle perdón a Dios. Pidámosle que nos ayude a ver, escuchar y decir sólo lo que sea bueno». (Permita un tiempo para que los chicos evalúen sus palabras y la manera en que han utilizado los medios de comunicación. Diríjalos en una oración de arrepentimiento por la manera liviana en que los han estado utilizando. También anime a los chicos a preguntarle a Dios si los está llamando a transformar el área de las comunicaciones siendo periodistas, presentadores de noticias, productores de película, etc.).

HOJA DE REGISTRO:

Usted necesitará:

- Hoja de trabajo de comunicaciones (Anexo 37.b).
- Lápices de colores o crayolas.

Los chicos escribirán y/o dibujarán en la hoja de trabajo de comunicaciones (ver anexo 37.a) los diferentes medios de comunicación que existen actualmente, y la manera como pueden utilizarlos para revelar a Dios.

Economía

Esfera de la Economía

(Clases chicos 12-14 años)

Color de la esfera de la economía: Verde.

TIEMPO: 2 horas.

OBJETIVOS:

- ▸ Entender lo que es bondad.
- ▸ Aprender el propósito de Dios para la economía.
- ▸ Conocer lo básico acerca del funcionamiento y procesos de la economía.

VOCABULARIO:

- ▸ Economía:

Disciplina que estudia como los hombres, por sus decisiones y labor, utilizan los recursos naturales para producir bienes y servicios para satisfacer las necesidades y deseos humanos con máxima eficiencia; el estudio de las formas en que el hombre produce, distribuye y consume bienes y servicios bajo los diferentes sistemas económicos y de gobierno. (James B. Rose, A guide to American Christian Education, p. 415).
Administración eficaz y razonable de los bienes. (Diccionario de la Real Academia Española, vigésima segunda edición).

- ▸ Bondad:

Buena voluntad; benevolencia; carácter o disposición que se deleita en contribuir a la felicidad de otros, la cual es ejercida alegremente para gratificar sus deseos, supliendo sus necesidades o aliviando
sus aflicciones... (Diccionario Webster, 1828).
Natural inclinación a hacer el bien. (Diccionario de la Real Academia Española, vigésima segunda edición).

IDEA PRINCIPAL:

- ▸ La economía revela la bondad de Dios.

ESCRITURA BÍBLICA:

- ▸ Deuteronomio 15:4: «De esta manera no habrá pobres entre ustedes, pues el Señor tu Dios te bendecirá en el país que él te va a dar como herencia…».
- ▸ Mateo 6:24-34.

Contenido de la lección

ACTIVIDAD DE INICIO:

Usted necesitará:

- Una resma de papel blanco.
- Una resma de papel construcción de colores.
- Dos rollos de cinta adhesiva transparente.
- Cinco o más tijeras.
- Lápices de colores.
- Marcadores de colores.

Divida los chicos en 5 grupos o más, dependiendo de la cantidad que tenga en el salón. Provea a cada grupo un material diferente y en cantidades suficientes para intercambiar con los demás grupos (es decir, a un grupo se le entregará papel blanco suficiente para intercambiar con los demás grupos, a otro grupo se le proveerán lápices y marcadores suficientes para intercambiar con los demás grupos, a otro grupo se le proveerán tijeras suficientes para intercambiar con los demás, y así sucesivamente de acuerdo con la lista de materiales mencionados anteriormente).

Explique a los chicos que tendrán de 10 a 15 minutos para intercambiar sus bienes de manera que puedan tener todos los recursos y herramientas necesarias para crear algo que sea de utilidad y que puedan vender. Diga a los líderes de cada grupo que ayuden a su grupo para lograr el intercambio de bienes y crear algún producto de utilidad. Al finalizar permita que los chicos compartan lo que tuvieron que hacer para crear algo y muestren qué producto desarrollaron.

DESARROLLO:

Usted necesitará:

- Rótulo de las palabras de vocabulario «BONDAD» y «ECONOMÍA» (lámina 13.1, 13.2).

- Cinco naranjas cortadas por la mitad o frutas con las que se pueda exprimir y hacer jugo.
- Un exprimidor de naranjas.
- Una cuchara.
- Hielo.
- Una jarra.
- Azúcar.
- Servilletas.
- Un vaso.
- Lámina con un árbol dibujado (lámina 13.3).
- Lámina con un signo de suma (lámina 15.27).
- Lámina con un hombre dibujado (lámina 13.4).
- Lámina con un hacha dibujada (lámina 13.5).
- Lámina con un signo de multiplicación (lámina 15.37).
- Lámina con una casa de madera dibujada (lámina 13.6).
- Lámina de un signo de igual (lámina 15.28).
- Lámina de una máquina de extracción de petróleo (lámina 15.36).
- Rótulo «Producción» (lámina 38.7).
- Rótulo «Distribución» (lámina 13.12).
- Rótulo «Consumo» (lámina 13.14).
- Imagen de un hombre ordeñando una vaca (lámina 13.9).
- Imagen de máquinas para pasteurizar leche (lámina 13.10).
- Imagen de proceso de empaque de leche (láamina 13.11).
- Imagen de un camión transportando la leche (lámina 13.13).
- Imagen de góndolas con leche en supermercado (lámina 13.15).
- Imagen de un chico (a) bebiendo leche (pueden ser fotos o dibujos). (lámina 13.16).

Maestro: «¿Qué necesitaron ustedes para crear su manualidad?». (Permita que los chicos respondan). «Necesitaron materiales y herramientas (papeles, lápices, pegante, etc.). También necesitaron creatividad y necesitaron utilizar sus mentes. ¿De dónde provinieron los recursos que utilizaron para crear algo que fuera de utilidad al ser humano?». (Permitir que los chicos respondan. Dirija a los chicos a pensar en el origen de todas las cosas que tenían para crear y muéstreles que en última instancia cada cosa que ellos utilizaron para crear provenía de Dios. Sin Él, nada de lo que utilizaron existiría).

Maestro: «Como vemos, Dios es la fuente principal de provisión para todo lo que ustedes crearon. Todos los recursos que podemos ver en la naturaleza, creados por Dios, son útiles para producir bienes. Esto es así porque Dios les dio un lugar al hombre y la mujer donde pudieran vivir y crear riqueza. Al darnos todo lo que necesitamos para desarrollar bienes y riqueza podemos ver que Él es bondadoso. Hoy vamos a conocer el propósito de Dios para la esfera o área de la sociedad que trata con los bienes y las riquezas. Esta es la economía». (Mostrar rótulo de la palabra de vocabulario «ECONOMÍA» [ver lámina 13.2] y pegarlo en el muro de las palabras). «La esfera de la economía nos revela la bondad de Dios (lea con los chicos Mateo 6:24-34). ¿Qué te está diciendo Jesús en este pasaje? (Permita que los chicos contesten). La Biblia nos enseña que Dios sabe qué cosas necesitamos, como la ropa o la comida, y nos las provee. Como Él es bueno, podemos confiar en que siempre cumplirá su promesa de darnos lo que necesitamos. Él es el gran proveedor». (Permita un momento para que los chicos coloreen el pasaje con el color verde y llenen sus leyendas).

«Puesto que Dios es bondadoso, Él se encarga de satisfacer todas tus necesidades. La bondad es la característica de ser bueno y deleitarse en contribuir a la felicidad de otros». (Mostrar rótulo de la palabra de vocabulario «BONDAD» [ver lámina 13.1] y pegarlo en el muro de las palabras).

«Dios es bondadoso porque se deleita en proveer para el ser humano. Él conoce, como dice Mateo 6, de qué cosas tenemos necesidad. En la creación nos ha llenado de bienes o recursos que podemos utilizar para producir cosas que ayuden a los seres humanos. Por ejemplo, nos ha dado el agua con la que podemos crear bebidas; también nos ha dado árboles con los que podemos sacar madera y crear casas. ¿Puedes pensar en algo más que Dios nos haya dado en la creación para que podamos crear otras cosas que sean de beneficio general?». (Permita que los chicos respondan. Puede ayudarles a pensar en cosas que se pueden crear con las plantas [té, medicinas], madera de árboles [muebles, casas], con los metales [carros, aviones, ollas], entre otros).

«Puesto que Dios es bondadoso, Él toma cuidado de la creación y la administra con excelencia. Por esto Él es el mejor economista. La economía trata acerca de la manera como los seres humanos, por medio del trabajo, utilizan los recursos que Dios les ha dado para producir bienes y riquezas». (Hacer referencia al rótulo de la palabra del vocabulario «ECONOMÍA» que pegaron en el muro de las palabras).

«Por ejemplo, yo sé que en el verano a las personas les da mucha sed y les gustaría un vaso de jugo de naranja bien frío. Aquí tengo unos recursos y unas herramientas que puedo utilizar para crear un jugo de naranja que pueda vender y así obtener riqueza. (Tenga disponible en una mesa unas cinco naranjas cortadas por la mitad, un exprimidor de naranja, una jarra, hielo, azúcar, servilletas, cuchara y un vaso. Haga usted un jugo de naranja o puede pedirle a un líder y un chico que trabajen haciendo un jugo de naranja juntos».

Al finalizar esta actividad pregunte:

«¿Qué fue necesario para poder crear un jugo de naranja que se pudiera vender y crear riqueza al bendecir a otros?». (Permita que los chicos respondan. El chico que mencione la palabra «trabajo» se llevará el jugo de naranja como recompensa). Para poder hacer un jugo que se pudiera vender fue necesario el trabajo. Según la definición, el trabajo es necesario para tener una buena economía. «El trabajo no es algo malo pues comenzó con Dios mismo. Él nos manda a trabajar seis días y descansar uno. Al hacer esto lo estamos imitando, porque Él trabajó seis días en la creación y descansó uno. Muchos piensan que el trabajo vino como una maldición por causa del pecado de Adán. Pero eso no es así». (Lea Génesis 2:15). «¿Qué hacía Adán en el huerto del Edén?». (Permita que los chicos contesten). «Adán trabajaba el huerto, lo cultivaba y lo cuidaba» (Opcional: puede conseguir por internet una pequeña porción de la canción original del Gran Combo: «Y no hago más ná».

Analice la letra con los chicos y pregúnteles que sucedería con la economía de su país si todos tuvieran esta mentalidad. Muéstreles luego una pequeña porción de la canción: «Echa pa'lante» [versión nueva del Gran Combo de la canción «Y no hago más ná»]. Pregunte a los chicos cómo sería la economía de su país si todos tuvieran esta mentalidad de trabajo arduo).

«Jesús mismo habló de la importancia del trabajo, y de mantenernos ocupados con los bienes que Él nos ha dado para multiplicarlos». (En sus propias palabras cuente la historia de Lucas 19:11-23. Enfatice que aquel que fue diligente en su trabajo es el que obtuvo ganancias, bienes y riquezas). «El trabajo es muy importante para obtener bienes y riqueza».

«Pero la economía no solo busca hacerse rico con los productos que vendes o los servicios que das a otros. La meta de la economía es ser bendición a nuestro país. Dios nos bendice, nos da riqueza, dinero, y bienes para poder bendecir a otros. La meta de las personas que trabajan en esta área de la economía no debe ser pensar en cómo enriquecerse para comprar más cosas, sino en cómo utilizar su dinero en desarrollar ideas productivas para ayudar a que otros tengan trabajo y puedan obtener a un precio justo lo que necesitan (ropa, alimentos, artículos de higiene, etc.). La meta del progreso económico es ayudar a que las personas necesitadas puedan mejorar su nivel de vida. Para esto se necesita que los economistas y los empresarios sean personas bondadosas igual que Dios».

«Para tener una buena economía también necesitamos tener una manera de pensar correcta. ¿Cuál es esa manera correcta de pensar? Basarnos en la Palabra de Dios. Según la Biblia, nosotros podemos producir riqueza porque Dios nos ha dado las habilidades para hacerlo. Veamos la siguiente ecuación: Para que la economía funcione necesitamos los recursos naturales que encontramos en la Creación. Dios creó al hombre y la mujer con ciertas necesidades básicas como el alimento, vestido y albergue. Pero Dios nos dio mediante Su Creación todo lo necesario para satisfacer estas necesidades. El creó los recursos naturales». (Muestre la lámina de un árbol que representa los recursos naturales [ver lámina 13.3]) y péguela en la pared o en alguna pizarra). «Pero estos recursos por sí solos no funcionan. Los recursos necesitan que el hombre los trabaje. Tenemos que aportar la energía humana, (o la capacidad para trabajar), que Dios también nos dio cuando nos hizo». (Muestre la lámina de un hombre, que representa la fuerza humana [ver lámina 13.4] y péguela al lado del árbol).

Note que entre estas dos láminas se debe pegar un símbolo de suma [ver lámina 38.5]. Por ejemplo: un árbol por sí solo no funciona para crear un producto. Se necesita un hombre que trabaje cuidando el árbol y cortándolo para tener la madera necesaria para hacer la casa.

«El trabajo es esencial para que la economía funcione, pero falta una cosa muy importante: las herramientas. Dios nos ha dado ideas para crear y construir herramientas. Estas herramientas multiplican la capacidad humana del trabajo. Cuando tenemos herramientas podemos hacer muchos más productos en menos tiempo. Las herramientas hacen que nuestro trabajo sea más efectivo». (Mostrar lámina de un hacha [ver lámina 13.5] y pegarla al lado de la imagen del hombre. Entre estas dos láminas se debe pegar un signo de multiplicación [ver lámina 15.37]). Ahora divida la clase en grupos pequeños. Cada grupo anotará en un papel la mayor cantidad de herramientas que se utilizan para la construcción de una casa. Cada grupo tendrá 20 segundos para anotarlas. El grupo que más herramientas anote será el ganador.

Maestro: «¿Cómo se podría construir una casa sin las herramientas que acabaron de mencionar?». (Permitir que los chicos contesten). «Las herramientas son otro regalo de Dios. Dios es quién nos da las ideas para crear las herramientas que mejorarán la producción conla cual podamos obtener ganancias y bendecir a otros. Esta es la "cadena" de la economía de Dios. Toda esta ecuación (cadena de pasos) da como resultado un producto, por ejemplo, una casa». (Mostrar lámina de una casa de madera [ver lámina 13.6] y pegarla al lado del hacha. Entre estas dos láminas se debe pegar el signo de igualdad [ver lámina 15.28]).

«Hay personas que no creen que Dios nos ha provisto todos los recursos que necesitamos para crear productos que solucionen las necesidades humanas. Creen que hay demasiada gente en el planeta. Algunos creen que no hay suficientes recursos naturales y que el trabajo es un castigo. Estas creencias han hecho que existan muchos países en pobreza».

«¿Qué crees qué sucedería en la economía de un país que piense de esta manera? ¿Podrá tener una economía próspera?». (Permitir que los chicos contesten. Ayúdeles a pensar en las implicaciones de esta clase de pensamiento en el desarrollo económico. Muéstreles lo que ocurre cuando, por ejemplo, creemos que el trabajo es una maldición. Un hombre que piense así dirá: No seré diligente en mi trabajo porque no podré producir nada; y si llego a producir algo, siempre seré pobre).

«El problema de la pobreza está en el pensamiento (en la mente) de algunos seres humanos. Pero Dios se encargó de darnos recursos en abundancia para hacernos prósperos y tener una buena economía. Por eso la pobreza no viene de Dios, sino que está en la mente de algunas culturas y en la falta de decisión para elegir la prosperidad».

(Muestre la imagen de una máquina de extracción de petróleo [ver lámina 15.36] y permita que todos los chicos la observen. Pregunte si reconocen de qué trata la lámina).

«Cientos de años atrás el petróleo era algo que no tenía tanto valor hasta cuando Dios les dio creatividad e ideas a algunos hombres para inventar la gasolina de motor. Ellos descubrieron que el petróleo, al quemarse, proveía energía que hacía funcionar los motores. Por esta idea dada por Dios a los hombres, ahora el petróleo es muy apreciado. Hay muchas personas que piensan que algún día se acabará el petróleo y ya no vamos a saber qué hacer. Eso es mentira. Pero aunque el petróleo se acabe, si creemos en lo que dice la Biblia y en la ecuación que acabamos de aprender, podemos confiar en Dios, que es bondadoso, y nos dará otra idea para obtener energía».

«Recuerda que, con la economía correcta buscamos administrar sabiamente los recursos que Dios nos ha provisto para producir riqueza. Para lograr riqueza, la economía estudia la producción (producir un bien siguiendo la ecuación que ya aprendimos), la distribución (repartir el producto correctamente) y el consumo (comprar y utilizar el producto a favor de los necesitados) de bienes yservicios en la comunidad». (Muestre los rótulos que dicen «producción», «distribución» y «consumo». [Ver láminas 13.7, 13.12, 13.14]).

«Otro ejemplo fácil de comprobar es que, para que ustedes puedan beberse un delicioso vaso de leche todas las mañanas hay varios procesos que tienen que suceder antes. ¿Cómo podemos ver los tres procesos ejemplificados aquí?». (Muestre las láminas correspondientes a la producción, distribución y consumo de leche [ver láminas 13.9 a 13.11, 13.13, 13.15, 13.16]).

Producción: (Permita que los chicos expresen sus ideas):
- *Vaca*: recurso de la Creación

- *Hombre:* (energía humana, trabajo): ordeñar la vaca para poder obtener la leche.
- *Máquinas:* (herramientas): le quitan todos los gérmenes y bacterias a la leche.

Distribución: (Permita que los chicos den sus ideas):

- *Echar la leche dentro de bolsas.*
- *•Un camión se lleva las bolsas a los supermercados.*

Consumo: (Permita que los chicos den sus ideas):

- *Compramos la bolsa de leche.*
- *Nos la tomamos en el desayuno.*

(Si desea, usted puede conseguir por Internet un video que muestre estas etapas al momento de hacer un producto y distribuirlo, por ejemplo el de la Fábrica de Hersheys compañía dedicada a la producción de chocolate).

Maestro: «Gracias a nuestro Dios que ha sido bondadoso y nos ha provisto los recursos naturales como la escritura, la capacidad de enseñar, la capacidad para coser, la capacidad de desarrollar el trabajo y las herramientas para producir muchas cosas y distribuir lo que producimos. De esta manera llegamos a consumir dichos productos beneficiando a muchos necesitados. Recuerda que un buen negociante no solo busca hacerse rico sino crear algo que traiga beneficio a los demás. Lo vende a un precio justo, busca crear empleos para que otros se beneficien, y siempre ayuda al necesitado. Veamos ahora tres prácticas que todo buen empresario hace y que tú también puedes comenzar a practicar en tu vida».

1. Trabajar y descansar: Al trabajar arduamente y descansar, podrás disfrutar del fruto de tu trabajo, además de renovar energías para continuar.

2. Crear y ahorrar: Área bienes, riquezas y dinero con tu trabajo e inviértelo en otras cosas; pero recuerda que debes ahorrar para el futuro. Ahorrar para tiempos difíciles y para ayudar a otros. Por ejemplo, muchos padres ahorran para bendecir a sus hijos cuando van a estudiar. Los abuelos también ahorran para ayudar a sus hijos y nietos. Esto sirve para mostrar la bondad de Dios. Tú puedes comenzar a ahorrar guardando parte de tus ganancias en una alcancía o en el banco.

3. Dar y traer alivio al necesitado: Cuando Dios te hace prosperar y te da riquezas, dinero y bienes, es para que puedas dar a aquellos que tienen necesidad. Tú puedes dar a los pobres, a los misioneros, ofrendar en tu iglesia, ayudar alguna familia que no tiene que comer, o a ciertas personas que necesitan algún tratamiento médico. Pero no sólo tienes que dar dinero; también puedes dar tu servicio, por ejemplo, si hay una persona que necesita que le corten el césped tú lo puedes hacer. Cuando haces esto estás mostrando la bondad de Dios. ¿Puedes pensar en otras maneras en las que con tus bienes, riquezas y dinero puedes ayudar a otros? (Permita que los chicos compartan sus ideas).

CIERRE:

Resumen / Aplicación:

«¿Qué nos muestra la economía de Dios? (Permitir que los chicos contesten). ¿Cómo vemos su bondad? (Permitir que los chicos contesten). Dios es bondadoso, y lo vemos en que nos ha dado los recursos que podemos utilizar para crear diferentes productos para el beneficio de

muchas personas. Cuando trabajamos con una buena economía, con un buen pensamiento, y un carácter de "integridad", utilizamos todo lo que Él nos proveyó para glorificarlo a Él y satisfacer las necesidades humanas».

«Hemos visto que Dios ha sido muy bueno con nosotros al proveernos todo lo que necesitamos. Así como Dios es bondadoso, él desea que tú y yo también seamos bondadosos. ¿Te deleitas en servir a otros con tus bienes y talentos? ¿Te gozas cuando puedes dar cosas buenas a otros? Si un compañero tiene necesidad de alimento, ¿compartes con él? Si ves a tu mamá trabajando, ¿le ayudas? Si sabes de una familia que no tiene dinero para comprar ropa, ¿les das dinero o ropa para ayudarles?».

«Todos estos son actos de bondad. ¿Eres buen mayordomo? ¿Trabajas con todas tus fuerzas, descansas como Dios lo hizo, ahorras parte del dinero que te dan y das a otros con gozo?». (Ore con los chicos para que Dios nos enseñe a ser bondadosos, así como Él lo ha sido con nosotros. Lleve los chicos a preguntarle a Dios si Él los está llamando a hacer algo en particular en esta área de la economía).

HOJA DE REGISTRO:

Usted necesitará:

- Hoja de trabajo de economía.
- Lápices de colores.

  En la hoja de trabajo economía los chicos contestarán las siguientes preguntas:

1. ¿Qué sabias acerca de la economía?
2. ¿Qué cosas nuevas aprendiste acerca de la economía?
3. ¿Cómo aplicarás de manera práctica lo aprendido de la economía en tu vida?

Los chicos llenarán ahora la segunda parte de la hoja de trabajo, la cual tendrá espacios en blanco para que ellos dibujen imágenes representativas de cada paso de la ecuación de la economía. Estos pasos estarán escritos debajo de cada espacio: recursos naturales, fuerza humana, herramientas y bienes. Los chicos deberán explicar en sus propias palabras cada paso conforme a la manera bíblica de ver la economía.

ECUACIÓN DE LA ECONOMÍA

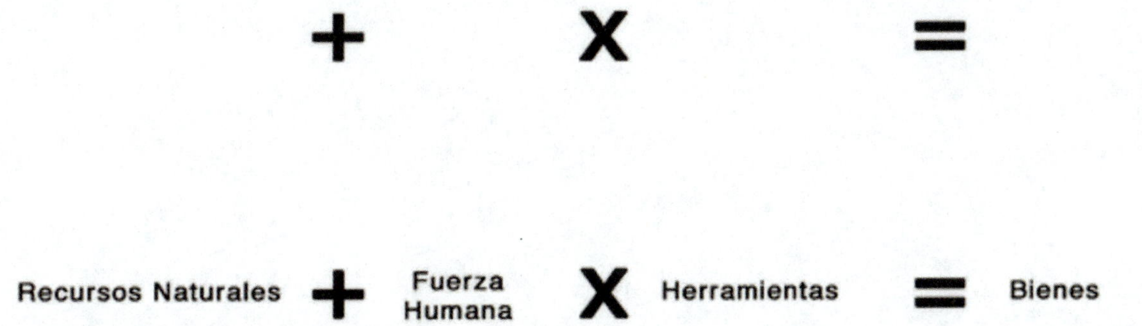

Principio de economía: la economía revela la bondad de Dios cuando los recursos, ideas y energía que han sido dadas por Él son utilizadas para satisfacer las necesidades humanas.

Iglesia

Esfera de la Iglesia
(Clases chicos 12-14 años)

Color de la esfera de la iglesia: Amarillo.

TIEMPO: 1 hora y 30 min.

OBJETIVOS:

- ► Conocer el propósito de Dios para la Iglesia.
- ► Aprender lo que es la santidad y la misericordia.
- ► Entender que aunque son jóvenes son parte de la Iglesia.
- ► Descubrir maneras prácticas de ser Iglesia.

VOCABULARIO:

- ► Iglesia:

Comunidad de creyentes que deben encarnar la Palabra en un mundo desolado. (D. Miller, Vida, Trabajo y Vocación, p.336 Editorial JUCUM, Tyler, Texas).
Conjunto de fieles que siguen la religión establecida por Jesucristo. (Diccionario de la lengua española © 2005 Espasa-Calpe).

- ► Misericordia:

Tener compasión; ternura de corazón que dispone a la persona a pasar por alto una ofensa o tratar al ofensor mejor de lo que se merece. (Diccionario Webster, 1828).
Inclinación a la compasión hacia los sufrimientos o errores ajenos. (Diccionario de la lengua española © 2005 Espasa-Calpe).

- ► Santidad:

El estado o cualidad de ser santo; integridad moral perfecta o pureza; libertad del pecado; santidad; inocencia. (Diccionario Webster, 1913).

IDEA PRINCIPAL:

► La Iglesia muestra al mundo la misericordia y la santidad de Dios en todo lo que hace.

ESCRITURA BÍBLICA:

► Mateo 16:18: «Y yo te digo que tú eres Pedro, y sobre esta piedra voy a construir mi iglesia; y ni siquiera el poder de la muerte podrá vencerla».

Contenido de la lección

ACTIVIDAD DE INICIO:

Usted necesita los siguientes materiales:

- Vestuario para interpretar tres personajes:
- Futbolista.
- Maestro.
- Empresario.

Este drama se desarrollará con tres personajes: Un maestro, un empresario y un futbolista. Cada uno estará ubicado en un lugar diferente del salón. Todos los jugadores estarán «congelados» al principio. Cuando entren los estudiantes y se sienten, una voz dirá «esto es la Iglesia» y comenzará a actuar el primer actor:

Empresario: (Es una persona alegre) «¡Buenos días empleados! ¿Cómo fue su fin de semana? Bueno, aquí estamos de vuelta a nuestros trabajos. Trabajemos con alegría el día de hoy, y hagamos las cosas de la mejor manera que podamos. ¡Estaré en mi oficina por si me necesitan!». (Se retira a poca distancia, le suena el celular y lo contesta)

—Sí, buenos días. Ah sí, sí recuerdo. Las telas estarán listas para mañana en la tarde. No, siguen al mismo precio. Sí claro, podemos empacarlas todas juntas. Claro que sí… Que tenga buen día.

(El comerciante inicia esta oración:) Bueno Señor, ayúdame en el día de hoy a extender tu Reino aquí en mi negocio. (Le suena nuevamente el celular) Sí, buenos días. (Se paraliza).

Maestro: «Ya se acabó el tiempo, queridos estudiantes. Pueden entregar sus pruebas e ir al almuerzo. … ¡Ahora voy a corregir estos exámenes, vamos a ver… Ah! Que no se me olvide corregir los del otro grupo; quiero tenerlos todos listos para el viernes. Además, debo limpiar el salón para dejarlo lo más organizado posible. ¡Hoy cumple el maestro de matemáticas! Por poco se me olvida… Le obsequiaré un paquete de bolígrafos porque la semana pasada dijo que casi no tenía. Tampoco me puedo olvidar de hablar esta semana con la estudiante que está bajando sus notas; tal vez le esté pasando algo en su casa y le puedo animar».(Se paraliza).

Futbolista: «¡GOOOL! ¡Sí! Ganamos el partido de hoy. Gracias Señor por darme fuerzas y permitirme jugar mi máximo. Lo hice para ti; Tú eres la razón por la que juego, por la que estoy en el equipo, por la que hago las cosas, ¡por quien vivo! ¡Ah! ¡Qué contento estoy! ¡Luis! ¡Luis! ¡Eh! Acuérdate…nos vemos hoy en la noche en mi casa. ¡Cuídate hermano!».

(Se vuelve a escuchar un coro: «esto es la Iglesia». Luego se reúnen los tres en el centro del salón y comenzarán a conversar.)

Maestro: «¡Qué bueno que nos volvemos a reunir; ya me hacía falta conversar con ustedes!».

Futbolista: «Sí, a mí también».

Empresario: «A mí también. ¿Cómo te va en la escuela?». (Se dirige al maestro).

Maestro: «Me va muy bien. Me encanta enseñar porque puedo ejercer buena influencia sobre mis estudiantes. Pero aun cuando los estudiantes no están, hago mi trabajo con excelencia: corrijo los exámenes, soy puntual, mantengo mis cosas organizadas y trato bien a mis estudiantes. También estoy atento a mis compañeros de trabajo y busco siempre bendecirlos de alguna manera. Me gusta esforzarme y hacer las cosas bien para poder ser de ejemplo a los demás. Dios se merece lo mejor de mí siempre. Y aún en las cosas pequeñas podemos extender Su Reino».

Empresario: «Así es, aún en los pequeños detalles. Yo estoy casi todo el día en mi trabajo recibiendo llamadas y vendiendo telas. Sé que Dios se interesa por todas las áreas de la sociedad, incluyendo mi negocio. Por eso, en lo grande y en lo pequeño me esfuerzo igual. Ya sea vendiendo las telas, o tan sólo diciéndole "buenos días" a mis empleados, quiero reflejar su amor siempre».

Maestro: «Así debemos ser todo el tiempo ¿Y a ti cómo te va? Te veo muy callado».

Futbolista: «Me va muy bien también, pero he estado un tanto reflexivo. Sobre todo, porque necesitaba preguntarles algo. Hace un tiempo atrás, al finalizar el partido, noté a uno de mis compañeros un poco triste. Al final del juego me le acerqué y le pregunté si todo estaba bien, y me contó los problemas por los que estaba pasando. Su mamá estaba muy enferma y no tenían dinero para cubrir los gastos de las medicinas. No contaba con la ayuda de su papá, porque no sabe nada de él desde que los abandonó hace ya dos años. Trato de ayudarlo y animarlo lo más que puedo. Nos estamos reuniendo todas las noches, y he estado enseñándole todo lo que he aprendido de Dios y su verdad. Pero quisiera saber cómo más puedo ayudarlo».

Empresario: «Se me ocurre una idea. Puedo darle trabajo en mi negocio. Así no sólo obtiene el dinero para los medicamentos de su mamá sino para las necesidades básicas de su casa, ya que su papá no está».

Futbolista: «¡Eso sería grandioso! De seguro que él lo apreciará».

Empresario: «El placer sería todo mío. Para eso tengo mi negocio; para hacer el bien y ayudar en lo que más pueda».

Maestro: «Bueno, ¿qué tal si empezamos con nuestra discusión de la lectura de esta semana?».

Futbolista: «La lectura contenía uno de mis pasajes favoritos; Mateo 28:19-20, donde el Señor Jesús nos envía a hacer discípulos y a enseñarles todo lo que Él nos ha mandado».

Maestro: «Y eso es precisamente lo que estás haciendo con tu compañero. Al estar con él, al enseñarle la verdad que sabes, lo estás discipulando. Estás cumpliendo con lo que el Señor Jesús nos mandó: la gran comisión».

Empresario: «Bueno, vamos a adorar a Dios y luego comencemos con el estudio». (Se paralizan y luego salen).

DESARROLLO:

Usted necesitará:

- Rótulo de la palabra de vocabulario «IGLESIA» (lámina 14.2).
- Foto de un templo (lámina 14.4).
- Foto de chicos agarrados de manos (lámina 14.5).
- Rótulo de la palabra de vocabulario «MISERICORDIA Y SANTIDAD» (lámina 14.3).
- Vinagre.
- Sal.
- Un vaso de cristal o de plástico transparente.
- Varias monedas sucias.
- Un recipiente con agua.
- Vestuario de baloncesto para seis personas (opcional, pueden hacer los números de los jugadores en papel y pegarlos en las camisas de las personas que van a participar en el drama).
- Una piñata o bolsa llena de dulces.

«¿Quiénes eran los personajes del drama? ¿A qué se dedicaban? ¿Por lo que vieron, esas personas amaban a Dios? ¿Qué crees que estaban haciendo al final del drama? ¿Crees que ellos reflejaban a Dios en sus trabajos?». (Haga las preguntas una a una y espere que los chicos piensen y respondan). «Como observaron, en este drama los personajes eran cristianos y amaban a Dios. Eran parte de la Iglesia. Pero algo muy particular de ellos es que veían su trabajo como una oportunidad para hacer misiones, para llevar el Reino de Dios, en otras palabras, para cumplir su voluntad».

«Hoy aprenderemos lo que es la Iglesia y cuál es tu función como parte de esta. Aunque algunos piensan que eres joven, Dios te ve como parte de la Iglesia y espera que también trabajes para traer su Reino en todo lugar al que vayas».

«Ahora, ¿qué es la Iglesia?». (Muestre rótulo de la palabra de vocabulario «IGLESIA» [ver lámina 14.2] y péguelo en «el mural de las palabras»).

«Para comenzar, veamos lo que no es la Iglesia. La Iglesia no es esto». (Mostrar una foto o un dibujo de un templo [ver lámina 14.4]). «La verdadera Iglesia es la gente; la Iglesia somos tú y yo». (Mostrar una foto de tres chicos agarrados de manos [ver lámina 14.5]).

«La Iglesia se reúne cuando dos o más personas se juntan para hacer la voluntad de Dios y mostrar su palabra al mundo. ¿Recuerdan el drama del Reino? A los que aman a Dios se les han dado una misión. ¿Recuerdan cuál era?». (Permitir que respondan). «La misión de la Iglesia es: conocerle a Él para darle a conocer en todo lo que hacemos. Al hacer su voluntad mostramos su palabra al mundo». (Puede hacer referencia a las láminas de la historia de nuestro Reino y repasar la historia). «La Iglesia, o sea, que cada uno de nosotros, debe reflejar misericordia y santidad. Dios es misericordioso y tiene compasión de nosotros. Él tiene ternura de corazón para tratarnos mejor de lo que merecemos:

si nos arrepentimos, nos perdona, nos anima a no volver a hacer lo malo y nos da una oportunidad para hacer el bien y actuar con sabiduría. Lo hace, si entiende que es la decisión más amorosa que Él pueda tomar en ese momento; si es así, pasa por alto la ofensa o trata al que se arrepiente mejor de lo que se merece. Como dice el salmo 103:8-14: "Dios ha engrandecido su misericordia para con nosotros y no nos ha hecho conforme a nuestras rebeliones". Misericordia es la ternura de corazón para pasar por alto una ofensa o tratar al ofensor mejor de lo que se merece, siempre y cuando sea una decisión sabia».

«Dios es santo. Santidad es vivir en amor, completamente separado del pecado y del egoísmo. Es la suma de todos los atributos del amor de Dios. Cuando Dios es justo, misericordioso, verdadero, sabio, fiel y amoroso (puede hacer referencia al diamante del carácter de Dios estudiando en clase) es porque Él es santo. Dios espera que su Iglesia le muestre al mundo entero en todo lo que hacen, que Él es misericordioso y santo».

«Por ejemplo, si vemos que nuestros amigos están pecando, haciendo cosas malas (se están copiando en el examen, se robaron algo, están peleando, etc.), por misericordia debemos confrontarlos para que lo dejen de hacer, y así ayudarlos a que lleguen a la santidad. Porque Dios nos manda a ser santos como Él es santo».

«También, si conozco personas que no tienen qué comer, les muestro la misericordia y el carácter amoroso de Dios, compartiendo mi alimento con ellos. Hay muchas cosas que tú puedes hacer como Iglesia para mostrar la misericordia y la santidad de Dios. ¿Puedes pensar en algunas otras cosas que puedes hacer en tu comunidad, tu escuela, donde puedas mostrar la misericordia y la santidad de Dios?». (Permita que los chicos piensen y respondan. Ayúdeles a pensar en el servicio a un anciano, en los buenos consejos a un amigo, en limpiar la casa de alguien sin que se lo pidan o le paguen, en ayudar a embellecer una plaza, etc. Lo importante es que puedan pensar en cosas prácticas donde pueden reflejar el carácter de Dios, aunque son jóvenes. De esta manera ellos podrán ver que tienen la capacidad de ser Iglesia).

Maestro: «Ustedes son la Iglesia y pueden hacer un sinnúmero de cosas dónde reflejen quién es Dios en su diario vivir. Dios los ha llamado a ustedes para ser los agentes de transformación de su comunidad. Un agente de transformación es una persona que trae cambios donde quiera que esté. ¿Estás siendo un agente de cambio? Si no lo has sido, hoy puede ser una oportunidad para pedirle a Dios que te enseñe a ser su Iglesia».

Veamos qué significa traer cambio:

Actividad:

De ser posible, tenga material suficiente para que cada grupo pequeño pueda realizar el experimento. De no ser posible, puede hacer el experimento desde el frente, mostrando los esultados a sus estudiantes. El experimento consiste en preparar una solución de vinagre y sal en un vaso de cristal o de plástico transparente para ver cómo cambia el aspecto de unas monedas que están sucias.

Instrucciones:

1. Vierta vinagre hasta la mitad de un vaso mediano de cristal o de plástico transparente.

2. Disuelva 1 cucharadita de sal hasta que se disuelva.

3. Coloque dentro del vaso unas cuantas monedas sucias. Déjelas por unos minutos.

4. Saque las monedas, límpielas con agua y déjelas secar en una servilleta. Observe cómo han cambiado de aspecto.

Maestro (concluye): «El vinagre y la sal son los agentes que transformaron el color de las monedas. Como parte de la iglesia, estás llamado a ser cómo el vinagre y la sal. Estás llamado a transformar las vidas de los que te rodean haciendo discípulos, es decir, personas que amen a Jesús y vivan para Él».

«Como hemos aprendido, el Reino de Dios está donde quiera que se cumpla su voluntad. Nuestra meta no es solo ir al cielo sino traer su Reino aquí a la Tierra. Y la manera de traer el Reino de Dios a la Tierra es mostrando su carácter, su misericordia y santidad en todo lo que hacemos y en todo lugar donde estemos (en nuestras escuelas, en nuestras casas, en el parque, en el bus). Sólo así la gente podrá ver su Reino a través de nosotros, su Iglesia cuando hacemos su voluntad y no la nuestra. ¿Cuándo se reúne la Iglesia?». (Permitir que los chicos piensen y respondan). «Usualmente la Iglesia se reúne los domingos. Otras iglesias se reúnen dos y tres veces a la semana. La razón por la que nos reunimos como Iglesia es porque así lo ha encomendado Jesucristo. Nos reunimos para adorar a Dios y ser equipados para luego ir a las diferentes áreas de la sociedad para impactar y transformarla y traer el Reino de Dios a esta tierra».

Drama:

En este momento puede presentar unos 6 líderes que simulen un equipo de baloncesto y su entrenador. De no tener el uniforme puede pedirles que utilicen una camisa del mismo color y le coloquen el número de jugador en la parte de atrás con el nombre. Permita que ellos entren interrumpiendo su clase cómo si fueran a jugar de verdad. Una vez entren al salón desarrollarán el siguiente dialogo:

Maestro: «¡Wow! ¿Quiénes son ustedes?».

Entrenador: Somos un equipo de baloncesto. Estamos listos para nuestro juego.». (El equipo debe estar en movimiento como si estuvieran calentando su cuerpo para el juego).

Maestro: «¿Cómo se han preparado para el juego?».

(Los jugadores siempre deben hablar bien animados, con buena actitud y seguridad).

Jugador No. 1: «Nos hemos estado reuniendo algunos días a la semana para entrenarnos y aprender las técnicas necesarias para tener un buen desempeño en la cancha».

Jugador No.2: «Hemos tenido que ser bien disciplinados porque para poder ganar debemos saber mucho y tenemos que conocer las reglas para poderlas cumplir en la cancha».

Maestro: «Y una vez en el juego, ¿cómo hacen para saber si van bien o qué cosas deben mejorar?».

Jugador No.3: «Para eso está el medio tiempo. En ese momento nos reunimos como equipo para evaluar nuestro desempeño en la cancha».

Jugador No.4: «En este tiempo el entrenador nos da las claves necesarias para continuar haciendo un buen juego».

Jugador No.5: «Además, este tiempo es muy necesario porque podemos descansar y reponer nuestras fuerzas para continuar el juego».

Maestro: «¡Muchas cosas buenas he aprendido con ustedes! Les deseo lo mejor. ¡Jueguen bien!». (El equipo sale del salón).

Maestro: «¿A cuántos de ustedes les gusta el baloncesto?». (Permitir que los chicos comenten). «El baloncesto es un juego de equipo. Cada jugador tiene un propósito específico para poder hacer un buen juego. Uno es el que dirige el juego dentro de la cancha, otro es el que anota la mayoría de los puntos, otro es el que defiende el balón, etc.». (Si nota que tiene estudiantes que les gusta mucho este deporte puede preguntarles acerca de las diferentes posiciones). Podemos comparar la Iglesia con un juego de baloncesto. La Iglesia es un equipo que está llamado a traer el Reino de Dios a la tierra. Pero nuestra misión es mostrar a Dios y enseñar a otros a seguir a Jesús. Un juego de baloncesto tiene un momento muy importante para los jugadores: el medio tiempo. Según el drama, ¿para qué sirve el medio tiempo?». (Permitir que los chicos piensen y respondan). «De la misma manera, la Iglesia tiene su medio tiempo el domingo para adorar a Dios y equiparnos para salir a la "cancha". ¿Cuál será nuestra cancha?». (Muestre el mural de las palabras: «En búsqueda de los sellos»). Esta es nuestra cancha formada por todas las áreas o esferas de la comunidad. Somos Iglesia no sólo los domingos; somos Iglesia todos los días de la semana y tenemos un trabajo que hacer cómo Iglesia cada día donde quiera que estemos».

«Por ejemplo, buscamos a nuestros amigos del barrio o la escuela y a todas las personas con las que nos relacionamos, y las discipulamos. Primero oramos con ellos, leemos la Biblia y les enseñamos toda la verdad que Dios nos ha dado a nosotros, para que ellos después hagan lo mismo. La Iglesia no comienza y termina los domingos. Sólo se prepara para esparcirse y hacer un trabajo de excelencia y busca la gente para enseñar todas las cosas acerca del Reino de Dios».

Actividad:

Tenga una piñata llena de dulces. Pida 10 voluntarios. Explíqueles que hay algo muy bueno para ellos en la piñata. Dígales que se esparzan por el salón, y que cuando usted diga «júntense», ellos tendrán que correr hacia la piñata y recoger lo que cae. Una vez recojan los dulces llévelos a pensar que hay más chicos en el salón que no tienen dulces y ellos tienen bastantes. Pregúnteles, ¿qué pueden hacer? (Anímelos a esparcirse y compartir los dulces con los demás en el salón).

«En la actividad que acabamos de hacer, estos 10 chicos representaban la Iglesia que se reunió para recibir algo bueno. ¿Pero que hicieron ellos? ¿Se quedaron comiéndose los dulces entre sí? No. Ellos salieron para compartir con otros lo que habían recibido. Por esto decimos que la Iglesia no termina los domingos, pues lo que has recibido y aprendido lo debes llevar y compartirlo a donde quiera que vas el resto de la semana».

«La Iglesia está lista para cumplir la gran comisión». (Lea Mateo 28:19-20 y permita que los chicos coloreen el versículo de amarillo y llenen la leyenda). «Nuestra misión no es sentarnos en los bancos de la Iglesia, sino salir y dar ejemplo para que otros nos sigan. Así los atraeremos a Dios para que se conviertan en sus seguidores y se añadan a la Iglesia. La Biblia dice: "Cada día el Señor hacía que muchos creyeran en él y se salvaran. De ese modo el grupo de sus seguidores se iba haciendo cada vez más grande".» (Lea Hechos 2:46-47 y permita que los chicos coloreen el versículo de amarillo y llenen sus leyendas).

CIERRE:

Aplicación/Resumen

«Como hemos aprendido, la iglesia es cuando dos o más personas se unen para hacer la voluntad de Dios. Son varias familias que se unen y salen a las diferentes áreas de la sociedad para mostrar la misericordia y santidad de Dios. (Repase las diferentes áreas o esferas de la sociedad

que han aprendido y mencione cómo debemos buscar personas en esas áreas por discipular. ¡Tú eres la Iglesia, ¿qué vas a hacer para traer su Reino a esta Tierra, a donde quieras que estés?».

Aplicación para nuestras vidas: «¿Hemos mostrado a nuestros amigos la misericordia de Dios? Cuando los vemos haciendo cosas malas, ¿les decimos que Dios los puede perdonar si se arrepienten? ¿Hacemos todo lo posible para que no pequen más y vivan en santidad? ¿Actúas cómo Iglesia de Dios y buscas amigos para discipularles, enseñándoles todo lo que sabes de Dios para que ellos también le sirvan a Él?». (Dirija a los chicos en una oración de arrepentimiento por no ser parte de la Iglesia. También para ver si Dios está llamado a alguno de los chicos a hacer algo en la Iglesia).

HOJA DE REGISTRO:

Usted necesitará:

*   Lápices de colores.
*   Hoja de registro de Iglesia (anexo 27.a).

Reparta la hoja de trabajo de Iglesia (vea anexo 27.a). (Los chicos deberán dibujar o mencionar cómo serán parte de la Iglesia mostrando la misericordia y la santidad de Dios, y haciendo discípulos).

NOTAS:

NOTAS: